LE BARBIER
DE SÉVILLE,
OU
LA PRÉCAUTION INUTILE,
COMÉDIE
EN QUATRE ACTES,

Par M. DE BEAUMARCHAIS;

Représentée & tombée sur le Théatre de la Comédie
Françoise aux Tuileries, le 23 de Février 1775.

...... Et j'étois Pere, & je ne pus mourir!
(*Zaïre*, *Acte 2e.*)

A PARIS,
Chez RUAULT, Libraire, rue de la Harpe.

M. DCC. LXXVIII.
Avec Approbation & Permission.

P. A. CARON DE BEAUMARCHAIS

BEAUMARCHAIS
Portrait par C.-N. Cochin

HARRAP'S FRENCH CLASSICS

LE BARBIER
DE SÉVILLE

By

BEAUMARCHAIS

WITH AN INTRODUCTION AND NOTES BY
LOUIS ALLEN, M.A.
Lecturer in French in the University of Durham

Nelson

Thomas Nelson and Sons Ltd
Nelson House Mayfield Road
Walton-on-Thames Surrey
KT12 5PL UK

51 York Place
Edinburgh
EH1 3JD UK

Thomas Nelson (Hong Kong) Ltd
Toppan Building 10/F
22A Westlands Road
Quarry Bay Hong Kong

Thomas Nelson Australia
102 Dodds Street
South Melbourne Victoria 3205
Australia

Nelson Canada
1120 Birchmount Road
Scarborough Ontario
M1K 5G4 Canada

First published by Harrap Limited 1951
ISBN 0-245-52834-2

This edition published by Thomas Nelson and Sons Ltd 1990
ISBN 0-17-444344-7
NPN 9 8 7 6 5

Printed in Hong Kong

INTRODUCTION

I. THE BACKGROUND

The political history of France during the eighteenth century is a story of the gradual, at times imperceptible, decline of the glory established during the reign of Louis XIV. It was a period when costly wars were waged without any noticeable profit accruing to the country, or any appreciable territorial gains. It was a period when the failure of the monarchy to live up to its place in the French system led in time to its overthrow.

The Regency (1715–23)

Louis XIV was succeeded by his great-grandson, who came to the throne as Louis XV at the age of five. Louis XIV had provided in his will that there should be a Council of Regency, presided over by the Duc d'Orléans. Orléans managed to have the will annulled by the *Parlement*, which recognized him as sole regent with unlimited powers ; in return for this he accorded to the *Parlement* the right of remonstrance which had been taken from them by Louis XIV. This proved to be merely a gesture, since Orléans had no intention of allowing the magistrates of the *Parlement* to share in the government of France, and in 1718 he arrested some of them as a reminder that he was acting as an absolute monarch.

In spite of the increase in moral laxity under the Regency, an inevitable reaction from the restrictions imposed towards the end of Louis XIV's reign, there was no corresponding increase in political liberty. The country was really in the hands of two ministers: the Abbé (later Cardinal) Dubois, who was Minister for Foreign Affairs, and the Scotsman, John Law, who was in charge of the country's finances. Law undertook the reform of the French financial system in accordance with a scheme of his own, whereby prosperity was to be attained as a result of an abundance of currency, which in turn was based on credit created by the State. The Treasury accepted the notes of Law's bank as payment for taxes, etc., and in 1718 the bank was nationalized. Law also ran the *Compagnie d'Occident*, which was formed to develop the Mississippi valley, where he had obtained a trade monopoly. He then made the mistake of merging his company and his bank, and from that time his fortune changed. Everybody speculated, the shares of the company rose to a ridiculously high premium, and, when the inevitable crash came, thousands of people were ruined. The effects of Law's schemes were not entirely evil, however, since the attempt to introduce a stable paper currency gave a stimulus to trade from which French commerce benefited permanently.

In the field of foreign policy the Abbé Dubois, who was in power from 1716 to 1723, built up a system of agreements with England and Austria to safeguard the Regent's position if Louis XV should die. The office of Prime Minister was restored in 1722 and the Regent, after the death of Dubois in 1723, took over this office himself, to be succeeded in 1724 by the Duc de Bourbon, and in 1726 by Cardinal Fleury, the King's tutor.

Foreign Policy under Louis XV

It was Fleury's ambition, in co-operation with Robert Walpole in England, to keep France out of costly and useless wars. He narrowly averted war with Spain in 1727 when the policy of the Duc de Bourbon had caused Louis XV to reject a marriage with the Spanish Infanta. The

King finally married the daughter of Stanislas Leczinski. the dethroned King of Poland, as she was deemed likelier to produce an heir to the throne. Fleury re-formed the alliance with Spain, and there was peace until 1733, when the war of the Polish Succession broke out, with France and Spain on one side, and the Habsburgs on the other. As a result of this war Stanislas Leczinski obtained the Duchy of Lorraine, which finally passed to France on his death in 1766. The cession of Naples and Sicily to Don Carlos of Spain was effective in soothing the ruffled feelings of Philip V, the Spanish King, whose daughter had been so summarily rejected. The Treaty of the Escurial, signed just before the war began, was one of the many "Family Compacts" by which the Bourbons of France and Spain pledged loyalty to each other.

Wars of the Eighteenth Century

Three years after this war had ended, Spain and England went to war (" The War of Jenkins' Ear ") as a result of commercial rivalry in South America, and Fleury lent the French fleet to Spain for operations against England. This war merged into the War of the Austrian Succession, in which England fought against France, Spain, and Bavaria in support of the rights of Maria-Theresa of Austria. It lasted from 1740 to 1748, and the Treaty of Aix-la-Chapelle which ended it marked the decline of French influence in India and America.

Between the peace of Aix and the next war there occurred what is known as the " diplomatic revolution," whereby Austria became the ally of France and Prussia the ally of England. This new alignment of forces prevailed during the Seven Years War (1756–63), during which, after an initial defeat at Rossbach by Frederick of Prussia, things went so well for the French that England was compelled to withdraw from the European conflict in 1757. It was

only when Pitt came to power that England denounced
the Convention of Kloster-Seven whereby she had surren-
dered Brunswick and Hanover to France ; afterwards the
tide turned, and Russia and Austria withdrew from their
alliance with France. The situation in Europe was
stabilized at the peace, but France lost many of her over-
seas possessions (including Canada) to England. By a
typical eighteenth-century piece of diplomatic juggling,
France also had to cede Louisiana to Spain as a compensa-
tion for the cession of Florida by Spain to England. In
addition, French power in India was even further
weakened.

The turn for revenge against England came with the
American War of Independence in 1775, in which Beaumarchais acted as an agent for the American rebels. Not
only did the American colonists base their revolt on the
principles of political philosophy put forward by French
thinkers like Montesquieu, but they also received considerable material aid from France, who attacked England
in India, Gibraltar, and the West Indies, and even sent an
army under Rochambeau and Lafayette to aid Washington
on the American continent. At the peace which ended
the war in 1783, France obtained some territorial redress
of her colonial losses in the Seven Years War. But the
revolt of the American colonists against England had a
double effect. It provided France with an opportunity to
attack England, but it also acted as an inspiration to the
people of France, in whose eyes the monarchy had become
more and more unpopular during the endless dynastic
wars, which seemed to bring so little permanent profit to
France, and at the same time used up her wealth.

Social and Economic Conditions of the Eighteenth Century

Military expenditure, under Louis XV as under Louis
XIV, proved an intolerable burden to the French peasantry.

It seemed to the people of France that the wars in which their country engaged were dictated not so much by political necessity as by the family relationships of the King, and by his mistress, Mme de Pompadour. She was the protégée of the famous financier Pâris-Duverney (who was also the patron of Beaumarchais), and through her, as the Minister d'Argenson pointed out in 1746, it seemed to be Pâris-Duverney, and not the King, who really governed France. From the economic point of view, the country was unstable throughout most of the century. Labour was cheap, food prices rose, and when this situation resulted in strikes they were suppressed with great cruelty. The strike of the silk-workers in Lyons, for example, in 1744, ended in several hangings and many sentences of penal servitude in the galleys. There was no freedom of association, and the workmen banded themselves into secret societies, or *compagnonnages*, members of which travelled from one district to another to spread resistance against the employers and to demand increases in wages.

On the other hand, prosperity increased in some spheres, particularly in foreign trade with the East and the Pacific, which was usually in the hands of privileged companies. Various methods of increasing prosperity were tried throughout the century. During the reign of Louis XIV, the great Minister Colbert thought that the surest way to protect French commerce and agriculture was to introduce tariffs. This idea was attacked by the economists of the eighteenth century because they said it interfered with the natural laws of economics, which, they said, should have complete liberty of action. Quesnay, the leader of the " physiocrats," or free-traders, for that is what they really were, said that the country's prosperity depended on a healthy agriculture, and that this should not be hampered by restrictions on circulation and export. The party of the " plutocrats " claimed similar liberties for industry and commerce, and though the two schools of thought were opposed to one another, their doctrines were to some extent united in the person of Turgot, who wished to give liberty of action to agriculture, industry, and commerce. But the ideas of the more advanced thinkers were of no avail in lifting the intolerable burdens imposed on the people by the increase in royal taxation, by the demands of the landlords, and by the high cost of food and other necessities of life. To take an outstanding example : salt was a state monopoly, and was governed by a special tax, the *gabelle*, which differed from district to district, causing great hardship and leading to smuggling and consequent contempt of the laws. The taxes themselves were not collected by a central office, but farmed out to financiers who gave the Treasury a lump sum and then tried to squeeze a profit out of the people. Some of these taxfarmers made over a million *livres* a year.

Nor did it appear to the people that the money thus obtained was being wisely used. Apart from the vast expenditure incurred during the wars of the seventeenth and eighteenth centuries, the Court itself lived in a wanton and extravagant manner. After the death of Louis XV some little improvement was made when Turgot was appointed Controller-General of Finance. Turgot, as Intendant of Limousin, had by his various reforms made a prosperous province out of what had been one of the poorest and most backward in all France. When he took up his new office he tried to put through similar reforms on a national scale. He wished to lessen the burden of taxation by raising the revenue from a single tax on land, and to break down many of the barriers on internal trade (such as the customs duties between one district and another) which were still in force in many parts of France. He abolished the hated system of forced labour (*corvée*). In all these attempts at reform he was opposed by the party at Court which attached itself to Louis XVI's Queen, Marie-Antoinette, and by the *Parlement*.

He was finally forced to resign, and was succeeded by Necker, who also tried to force various economies on the Court and attempted a more equitable distribution of the burden of taxation. But both by the publication of his *Compte rendu* in 1781, which revealed the shaky financial condition of the country, and by his proposals for restricting the power of the *Parlement*, Necker too aroused a great deal of hostile feeling. He in turn was succeeded by Calonne, who tried to induce prosperity by the diametrically opposite method of even more extravagant spending, as if it were possible to create wealth by spreading the illusion of wealth. His method failed, and he advised the King to return to Turgot's methods.

The Parlement and Political Reform

It became evident that economic reform was impossible while political reform was unachieved. The chief enemy of reform in both spheres was not really the Crown, nor even the nobility, but the *Parlement*. This was a corporation of magistrates whose function it was to register new laws, and which had a vested interest in the maintenance of the privileges of the *ancien régime*. It was frequently in conflict with the Government during the reign of Louis XV. The King often had to have recourse to what were known as *lits de justice*, or Royal Sessions, by which financial measures were registered by the *Parlement* in the King's presence, when they were legally unable to refuse.

Things came to a head under the Chancellor Maupeou in 1771, when more than a hundred magistrates of the *Parlement* were exiled from Paris, and the provincial *parlements* throughout the whole country were suppressed. Six new courts of justice were established, and were known collectively as the *Parlement Maupeou*, but they did not aspire to political power, as the old *Parlement* had done. In its turn the *Parlement Maupeou* was suppressed by Louis XVI, who brought the old *Parlement* into existence again. On its return to Paris, the old *Parlement* consented to register certain edicts which established free trade in corn, provincial assemblies, and the substitution of a money-tax for the *corvée*. It refused, however, to agree to a stamp-duty; and when the King forced the registration of this by a *lit de justice* the *Parlement* stated that the States-General (a body which had last been convened as long ago as 1614) was the only body competent to authorize permanent taxation. The King then exiled the *Parlement* to Troyes, but finally gave way to its demands, and the *Parlement* returned to Paris in a few weeks. On its return it insisted on the convocation of the States-General, to which the King agreed when he saw that the provincial *parlements* supported the *Parlement* of Paris.

The States-General met on May 5, 1789. It seemed for a while as if the King, with its co-operation, might be able to reconstitute the system of government on the lines of the English constitutional monarchy. But the declaration of national bankruptcy, following a failure in the harvest, filled Paris with unruly mobs. Disorder broke out in the capital, and the Bastille was taken by storm. These events made it impossible to bridge the gap between the Court and the assembly of nobles, clergy, and commons and the attempts at reform developed into a revolution.

In this manner the century which had begun under a system of absolute monarchy, based on a privileged nobility, a wealthy but powerless bourgeoisie, and an oppressed peasantry, ended with the complete reversal of that order. This reversal was based on ideas of liberty spread by the *philosophes*, reinforced by the demands for power of the *bourgeoisie*, and completed by the uprising of the common people.

2. THE DEVELOPMENT OF IDEAS IN THE EIGHTEENTH CENTURY

In the previous chapter we have seen how a series of wasteful dynastic wars, coupled with an unstable economic system and a desire for power and freedom on the part of the lower and middle classes, gradually led to the downfall of the French monarchy. Parallel with this revolutionary trend in the political and economic spheres runs the development of revolutionary ideas for whose origins we must go back to the seventeenth century.

The seventeenth century was a century of discipline and authority, in both the political and cultural spheres. Under the absolute monarchy of Louis XIV the centralization of national affairs was gradually achieved, and though the economic benefits of this were, as we have seen, largely nullified by a series of costly wars under Louis XIV and his successor, the various Ministers of Louis XIV, in particular Colbert, managed to erect the framework of a modern state. This was made possible only by the assumption of more or less despotic powers by the King, who could not risk having the feudal nobility banded together against him, as had happened in the civil wars of the *Fronde* during the King's minority. The *Fronde* was brought about partly by the feudal nobility and partly by the *parlements*. Louis XIV was able to deprive the nobles of their power and turn them into mere courtiers, diverting their energies from political intrigue to the more harmless variety of court and salon intrigue. But the power of the *parlements* was more difficult to curb, and, as we have seen, conflict between them and the Crown occurred until the end of the eighteenth century, when the Revolution abolished them.

As a result of the accumulation of nobles at Louis XIV's court, its splendour increased, and this splendour is reflected in the building of the palace at Versailles : the system of lakes and gardens attached to this palace is among the most obvious expressions of the classical desire for order. The neatly regulated paths and walks, drawn with geometrical precision by the landscape gardener André Lenôtre (1613–1700), are manifestations of the same spirit which is behind the tragedies of Corneille and Racine, the satires of Boileau, and the sermons of Bossuet. This spirit is one of acceptance of authority—the absolute authority of the King in the political sphere, the authority of the writers of antiquity in the literary sphere, and the authority of the Catholic Church in the religious sphere. Only in a reasonably stable society could such an un-questioning acceptance of authority in so many different fields exist. As a result, when French society as it had been established under Louis XIV began to disintegrate, the classical fabric of the culture which expressed it gradually disappeared. In time all the fundamental assumptions of the classical age were first questioned and then rejected.

Transition to the Eighteenth Century

It was against the spirit of authority in the classical age that the eighteenth century rebelled. For this rebellion it had two notable precedents. The first was the work of the most important philosopher of the seventeenth century, René Descartes (1596–1650). Like many of the *philosophes* of the eighteenth century, who considered him as their spiritual ancestor, Descartes was not just a philosopher, but also a physicist and mathematician, though it was through his philosophical works that his influence was chiefly felt. Descartes made a definite break with the medieval philosophical tradition, and appealed from the authority of the Scholastic philosophy, based on Aristotle, to the individual reason. He began, as he explained in the

Discours de la Méthode (1637), by systematically doubting everything, until he reached something he could not possibly doubt, *i.e.*, his own existence. He pointed out that because he thought, he did in fact exist—that much at least was certain : *je pense, donc je suis.* Having established the fact of his own existence, he went on to establish the principles of his philosophy on a scientific basis, accepting as true only those things which were clearly and evidently true, whether they had previously been accepted or not.

In some ways, for instance in his pursuit of order and clarity in thought, he was the philosopher of the classical age, but in other ways—by his method of doubting, and his rejection of authority in philosophical matters —he foreshadowed the rationalism of the eighteenth century.

The second precedent was not a man but a movement. This was the *Querelle des Anciens et des Modernes* (1687–1700), a literary controversy which took place at the end of the seventeenth century, in which Boileau, La Fontaine, Racine, and the defenders of the classics were opposed to Charles Perrault, Fontenelle, Ménage, and the defenders of the moderns. Both sides exaggerated greatly in proclaiming the rightness of their cause, one quoting the constant admiration given to the classics as proof of their superiority, the other saying that the moderns had in themselves all the wisdom of the classical writers of Greece and Rome, and the accumulated knowledge of the centuries in addition. The net result of the controversy, which had no really decisive ending, was to lessen the respect for antiquity which had been one of the chief characteristics of the seventeenth century, and to reinforce the lesson of Descartes, that in the pursuit of truth one should rely not on authority, however sacred and consecrated by tradition, but on one's own judgment.

The Attack on Religion

The attack on authority was carried out first in the sphere of religion.   Although the Church in France had been extremely strong in the seventeenth century, it contained within itself the seeds of weaknesses which its enemies were later to use in their assault.   The first of these was the bitterness of the theological disputes which took place between the Jesuits and the Jansenists on the subject of Free Will, in which both sides appealed to reason, thereby seeming to admit that reason alone could be a deciding factor in religious controversy.   This admission was later used against the apologists of the Church by the rationalists of the eighteenth century, such as Diderot, d'Alembert, and Voltaire.   Secondly, the excessive use of external means of devotion led both to a hypocrisy (satirized by Molière in *Tartuffe*) and to an uncompromising intolerance for other forms of belief, which found its expression in the Revocation of the Edict of Nantes (1685), by which the Huguenots were forced to leave the country.   As a result of this, France lost numbers of good craftsmen, and the Huguenots, once settled in exile in Holland or England, continued an attack on the Catholic Church with a continuous stream of books and pamphlets which, together with those of the *libertins*, or free-thinkers, found their way to Paris in a clandestine fashion.

The chief of these free-thinkers towards the end of the seventeenth century was undoubtedly Pierre Bayle (1647–1706), whom Joseph de Maistre called "le père de l'incrédulité moderne."   To the worldly scepticism of the free-thinking circles which gathered round such people as Ninon de Lenclos (1620–1705) and Saint-Évremond (1610–1703), he added his own contribution of wide erudition in his *Dictionnaire historique et critique*, from which many of the rationalists who came after him borrowed freely ;

it was from this book that most of the *philosophes* drew their facts and anecdotes against the Church.

Another precursor was Fontenelle (1657–1757), who, with various works of criticism and scientific popularization, spread an interest in physical science. This interest in physical science was coupled in Fontenelle, as in many of the eighteenth-century *philosophes*, with a scepticism concerning supernatural matters, and he sought to prove, for instance, that all prophecies traded on the gullibility of the people (*Histoire des Oracles*, 1687).

The Salons

Fontenelle was a power in the *salons*, which played a great part in the intellectual and social history of France in the eighteenth century as they had done in the seventeenth. There were several of these *salons*, each with its own presiding deity, and its own small court of poets, wits, and statesmen. In the first half of the century there was the *salon* of the Duchesse du Maine, held in the Château de Sceaux, outside Paris ; she entertained men of letters like Chaulieu, Fontenelle, and Voltaire, and held festivals in the grounds of the château where plays and ballets were performed after the manner of the costly entertainments at Versailles. There was also the *salon* of Mme de Lambert, the hostess of Montesquieu, Marivaux, and d'Argenson. She cultivated the *modernes* as opposed to the *anciens*, and her *salon* was renowned for its literary and scientific discussions, as was that of her successor, Mme de Tencin.

Later on in the century, the *philosophes* gathered round Mme Geoffrin, who was not a noble lady but a *bourgeoise* with a talent for entertaining men of letters and science of the most varied kind ; she was more influential than any in spreading the ideas of the *Encyclopédie*. Others were Mme du Deffand (the rival of Mme Geoffrin), whose *salon* was almost exclusively one for the members of high society, and

Mlle de Lespinasse, who succeeded her and entertained such people as Turgot, Marmontel, d'Alembert, and Condillac.

The contacts afforded to writers by these *salons* were numerous, and they also acted as a means of ventilation for most of the ideas of the day before they were seen in print.

Montesquieu and Voltaire

The atmosphere of religious scepticism and the desire for social and political freedom fostered by Bayle, Fontenelle, and the *salons* found their chief exponents in Montesquieu, Voltaire, Diderot, and the *Encyclopédistes*. Montesquieu (1689–1755) was a provincial lawyer who had made a study of the institutions of ancient Rome, and from it he drew conclusions unfavourable to the kind of despotism which was practised under Louis XIV and his successor. Montesquieu attacked Louis XIV and his system of despotic monarchy in the *Lettres Persanes* (1721); these were a series of letters purporting to come from Persian travellers in Paris, and under the cover of the curiosity and naïve surprise which such visitors would presumably show, Montesquieu constructed an extremely able satire on contemporary France. His conclusions were reinforced in a longer work, *L'Esprit des Lois* (1748), in which, besides general discussions on the theory of law, there were sections devoted to the English constitution and to the laws of France, in which he put forward suggestions for reforms. His ideal was a constitutional monarchy on the English pattern, and this worship of things English was shared by Voltaire (1694–1778), who spent several years in England, returning to France with a considerable respect for the social system he had found, and for the esteem in which men of letters and merchants were held. This admiration for English institutions is reflected in the series of witty and informative letters called *Lettres Philosophiques*, or *Lettres sur les Anglais* (1734), in which, by praising conditions in England, he implies criticism of those in France. So, for instance, in order to underline the lack of religious liberty in France, he says in one of the letters : " L'Anglais, comme homme libre, va au ciel par le chemin qui lui plaît."

In his later works he developed the theme of religious and political tolerance foreshadowed in the *Lettres Philosophiques*. He was most conspicuous in the attack against the established form of religion, and his battle-cry, " Écrasez l'infâme," was the watchword of the whole rationalist movement. " L'infâme " was sometimes the Catholic Church and sometimes the whole organization of European Christianity. Voltaire influenced the thought not merely of France but of the whole of Europe for over half a century, through his innumerable histories, satires, poems, plays, novels (of which the most famous is *Candide* (1759)), pamphlets, and a voluminous correspondence with most of the important figures of his times. These included Catherine the Great of Russia, and the Prussian King Frederick, at whose court he resided for some time, and with whom he later quarrelled. His crusade for tolerance was not confined to literary activities : when he heard of any act of injustice he would use whatever influence he had —social, financial, or literary—to redress the wrong done, as, for example, in the case of Calas. Calas was a Protestant of Toulouse, and had been unjustly condemned for murder by the Toulouse *parlement*, and although the sentence was carried out and Calas was broken on the wheel, Voltaire did not rest until he had managed to show that Calas had in fact been the victim of a miscarriage of justice and of religious intolerance.

Diderot and the " Encyclopédie "

Voltaire's efforts, though prodigious, were individual efforts. But there was also a mass ' movement ' of the rationalists in the eighteenth century, which found concrete

expression in the *Encyclopédie*. This was an encyclopedia
of the arts and sciences which a French publisher, Lebreton,
wished to bring out in imitation of Chambers's *Cyclopedia* in
England. Lebreton, after several unsuccessful attempts at
finding a suitable editor, chanced on Diderot (1715–84),
who undertook to find collaborators among the leading
men of letters and men of science of the day. In fact, he
obtained contributions from every great writer except
Buffon, including Montesquieu (who wrote the article on
Goût) and Voltaire, who contributed several articles on,
for example, *Eloquence, Esprit, Imagination*. To begin
with, Diderot's chief collaborator was d'Alembert, the
mathematician, who was responsible for the *Discours
Préliminaire* to the *Encyclopédie*. This *Discours* described the
aims of the *Encyclopédie*, and at the same time gave a rapid
and masterly sketch of the progress of human knowledge
through the ages. Both Diderot and d'Alembert insisted
that the *Encyclopédie* was to be much more than an alpha-
betical list of miscellaneous facts. It was to be a *Dictionnaire
Raisonné*, in which were to be discussed the principles and
applications of all the arts and sciences in accordance with
the classification mapped out by the English philosopher
Francis Bacon. It was in fact to be a meeting-ground for
all the latest researches in all the fields of knowledge, and
it was hoped that it would also act as a vehicle for the new
and in many cases revolutionary ideas of its contributors.

A feature of the *Encyclopédie* which was to make it vastly
different from all other works of its kind was the use of
illustrations for the text, especially those which dealt with
applied science. In order to obtain these, Diderot himself went round the laboratories and workshops and made
sketches on the spot, with the help of those people who
could afford him the most authoritative information avail-
able. As a result, by 1772 the complete work contained,
besides seventeen volumes of text, eleven volumes of

planches, or illustrations, the whole costing each subscriber nearly a thousand livres, a considerable sum in those days. This high price meant that only the well-to-do could afford to buy it, but the nineteenth-century critic Brunetière calculated that the number of sets sold shows that the *Encyclopédie*, through its presence in libraries in the houses of the rich and the spreading of its ideas through the *salons*, managed to reach an audience proportionately as great as that of a modern best-seller. In spite of the fact that the Government hindered its publication at various times, its influence was enormous, and although some of its writers were well known before they contributed, it was in its pages that some of the more famous *philosophes* first came before the public eye : Rousseau, for instance, who wrote the article on music, d'Holbach, who wrote on chemistry, Turgot, who wrote on political economy, Condillac, who wrote on philosophy, etc.

It is only natural to expect that such an enterprise as the *Encyclopédie*, with its subversive tendencies, should encounter resistance from authority. The French monarchy had its own way of dealing with ' dangerous thoughts,' a way which has been employed by most despotisms— censorship. Some kind of censorship of books and plays had existed in France since the Middle Ages, and had been reinforced by decrees of Francis I and Henri II. In 1629 the Chancellor was given the task of picking a competent person to examine all printed books, and this was the origin of the *censeurs royaux* established under Louis XV. Any writer whose work was judged to have dangerous tendencies was likely to have his books burned by the public executioner, and to find himself and his publisher in prison. This happened several times to Diderot, and Voltaire himself only escaped the punishment most of his works would have merited by living at a discreet distance from Paris. The *Mémoires* of Beaumarchais were ordered to be burned

(1774), but he seems on the whole to have managed the strict theatrical censorship very well, although he had some difficulty with *Le Mariage de Figaro*. Theatrical censorship had been regularly established in 1706, and in the eighteenth century plays could not be performed unless they had previously passed the censor. Like the censorship on books and newspapers, that on plays was abolished during the Revolution.[1] Despite obstacles put in its way by the censorship (publication was forbidden on several occasions, and the *privilège* withdrawn), the attack on contemporary institutions carried out by the *Encyclopédie* achieved its end. The attack was twofold : *Écrasez l'infâme* was its watchword as much as Voltaire's, and it used the approach of Pierre Bayle to the question of religion : it condemned by implication rather than by direct attack. So, for example, the *Encyclopédie* would praise some institution which was hostile or indifferent to the Church, or again it would use a system of cross-references. By means of this, the reader would look up, for instance, an article on Capuchin monks, which would give a good account of them, but also insert a reference to the general article entitled *Religieux*. When the reader looked up this article he found an outline of the history of religious orders and also an attack on them by Voltaire. Great play would be made, too, of taking the Bible narrative literally and trying thereby to show that there were contradictions in it.

It is not true, of course, that the Church was the unenlightened obstacle to progress which the *Encyclopédistes* described. Many of her priests were in their way as advanced thinkers as the *Encyclopédistes* themselves, and indeed it was from the ranks of the clergy that the first

---

[1] But reintroduced soon afterwards. Throughout the nineteenth century the various revolutions abolished the censorship (1830, 1848, 1871), and the reactions which followed them brought it back again. Nowadays, apart from film censorship, there is no restriction on artistic production in France.

attempts at historical criticism and a critical view of hagiography had come. But the official apologists and their aides, like Bergier and Fréron, did not have the wit or the style of their opponents, whose opinions in the end prevailed.

In the political field the articles of the *Encyclopédistes* both symbolized and encouraged the changes that had been coming in France over the previous fifty years. There was a growing discontent among most classes with the un-balanced economy of the country. Claims for economic reform always had to give way to the demands of excessive military expenditure, and the collection of revenue was based on out-of-date methods of taxation. There was dis-content also with the restrictions on the liberty of the subject, a liberty which, by and large, the *Encyclopédie* took upon itself to defend. Not that its contributors were by any means democrats—they were of all hues of political and religious belief; but they were united on the whole by a desire for increased tolerance in human affairs, which was to go hand in hand with the spirit of criticism. Intoler-ance was a betrayal of human nature, which was essentially good (in this they differed fundamentally from the teaching of the Church on the doctrine of original sin) but which was corrupted by society as then constituted. Once society was recognized as a free system of contract between governor and governed without compulsion of any kind, man's natural goodness would be free to show itself and to better itself with the wise use of the natural sciences. Whatever the philosophical merits of this doctrine, it proved a most attractive one in its day, and formed the minds of those who inspired and directed the French Revolution.

Rousseau

The *philosophes*, by their emphasis on the value of reason, were part of the classical French tradition; but in their belief in the essential goodness of man, and the evil of society, they shared the beliefs of Jean-Jacques Rousseau (1712–78), who was later in his life nearly always in conflict with them. His influence is possibly more important for the nineteenth century than for the eighteenth, since his worship of nature and his cultivation of the emotions at the expense of reason foreshadowed the Romantic movement. He was never tired of preaching that man was at his best in the golden age of innocence, and that civilization had corrupted his original goodness. The *Contrat Social* (1762) undermined the very foundations of the monarchical system by stating that men entered into a contract with each other to find a greater good in social life than they could in a life of solitude. If this good were not achieved there was no further justification for society, which had therefore to be changed. The essential point of this contract (an idea completely opposed to the theory of the divine right of kings, which had seemed to be incarnate in the person of Louis XIV in the seventeenth century) is that sovereignty belongs to the people. Rousseau stressed the importance of the individual, and in *Émile* (1762) he set forth his system for educating the individual to become a complete human being. He must learn from things rather than from books ; similarly he must learn that God is manifested in Nature, not only in churches. It is for the elaboration of teachings such as these that Rousseau was regarded by the enemies of the Revolution as the chief single agent (together with Voltaire) of the spread of those religious and political ideas which inspired the overthrow of the *ancien régime.*

It is in this overthrow, the French Revolution—the concrete result of these various teachings—that we can see where their fundamental unity lies, and where the differences between such writers as Bayle, Montesquieu, Voltaire, Diderot, Rousseau, and Beaumarchais (*Le Barbier de*

Séville and more particularly *Le Mariage de Figaro* are the perfect dramatic expressions of the *encyclopédiste* and revolutionary spirit) can be resolved. Rousseau himself accused the *philosophes* of being united only " par haine du parti contraire," but this is only a half-truth.

They were united in supporting constructive proposals for political and social reform ; they were united in denying absolute authority to a despotic monarchy ; they were united in their exaltation of the powers of human reason ; and above all they were united in their advocacy of tolerance and hatred of persecution, and in this claim that men should be free to think as they like lies perhaps the chief contribution made by the writers of eighteenth-century France to the history of civilization. Although the French Revolution, in the event, failed to live up to the ideals of the *philosophes*, it was at least a step in the direction of the free, rational society which they desired.

3. THE LIFE AND WORK OF BEAUMARCHAIS

There are many similarities between the character of Beaumarchais and that of his chief creation, Figaro. He has the same irrepressible vitality, the same ability to turn his hand to anything, and the same taste for intrigue. Figaro is a faithful reflection of a certain eighteenth-century type perhaps just for this very reason, that Beaumarchais himself enjoyed and participated in the life of his times so fully and showed this in his writings.

He was born in Paris, in 1732, as Pierre Augustin Caron. His father was a watchmaker, and after a brush with the parental authority as a result of which he was temporarily expelled from home, the young Caron began learning his father's trade. He very soon excelled in it, and devised a new escapement for watches, which enabled them to be made smaller and flatter. This invention was copied by a well-known watchmaker, Lepaute, but the young Caron did not rest until he had proved that the idea was, in fact, his own. He wrote letters to the newspapers, and finally prevailed upon the *Académie des Sciences* to judge whether the escapement was his invention or Lepaute's. The *Académie* gave judgment in his favour (1754).

His victory in this affair was the means of obtaining an introduction to court circles. He made, for Mme de Pompadour, a watch so small that it could be fitted into a ring, and obtained the coveted title of *horloger du roi*. Besides this, his proficiency in music soon became known, and he started to give lessons on the harp to the royal princesses.

In 1756 he married and took the additional name of Beaumarchais, which he was to make famous, from the name of an estate belonging to his wife. As was the custom at that time for those seeking advancement, he bought a royal office (that of *contrôleur clerc-d'office*), to which he added in a few years that of *secrétaire du roi*, an office which carried nobility with it. He was enabled to buy these offices as a result of his transactions with the financier Pâris-Duverney, for whom he performed several useful commissions and with whom he was on extremely friendly terms.

In 1764 Beaumarchais made a journey to Spain. He wished to organize the slave trade to the Spanish colonies ; he was interested in forming a company to exploit Louisiana (recently ceded by France to Spain); and he had a private mission : to rescue his sister from an invidious situation in which she had been placed by a Spanish man of letters, José Clavijo, who had promised to marry her but kept postponing the wedding. It finally transpired that Clavijo did not want to marry Beaumarchais's sister at all, and Beaumarchais took the case to the Spanish Court, indeed to the King himself. As a result of his adroit pleading, Clavijo was disgraced, and the honour of Beaumarchais's sister avenged. It was from this episode that Beaumarchais drew the plot for his first venture into the dramatic field, *Eugénie, ou la Vertu malheureuse* (January 1767). This was a *drame* of the kind advocated by Diderot (see p. xxxviii) and was not very successful, though it remained for some time on the repertoire of the Comédie Française. He followed it in 1770 with *Les deux Amis*, a tedious drama with an over-complicated plot about financial affairs.

He had declared his dramatic creed in the *Essai sur le genre dramatique sérieux*, which appeared as a *Préface* to the published version of *Eugénie*. In this he expresses his belief in the new *drame*, which was to supersede the old *genres* of tragedy and comedy by combining elements of both, and of which the chief virtue was that it was intended to be a realistic interpretation of modern life. In it he says :
" Que me font, à moi, sujet paisible d'un état monarchique du XVIIIe siècle, les révolutions d'Athènes et de Rome ? Quel véritable intérêt puis-je prendre à la mort d'un tyran du Péloponnèse, au sacrifice d'une jeune princesse en Aulide ? Il n'y a dans tout cela rien à voir pour moi, aucune moralité qui convienne." He never really retracted this statement of adherence to modernism, and even though *Le Barbier de Séville* and *Le Mariage de Figaro* are quite definitely comedies, there is in them much criticism, implied or stated, of the social conditions of his age.

These early dramatic attempts did not foreshadow his later success. Perhaps the real forerunner of this is to be found in the famous *Mémoires*, which he wrote to justify his position in one of the most celebrated lawsuits of the eighteenth century. This was brought about by the death of the financier, Pâris-Duverney, who at the time was actually in debt to Beaumarchais as the result of certain transactions. When Beaumarchais claimed these debts from the dead man's estate, Pâris-Duverney's nephew, the Comte de La Blache, who had inherited all his wealth, refused to pay and accused Beaumarchais of fraud and forgery in making the claim.

Beaumarchais immediately took proceedings—it was a thing he did countless times throughout his life—and won his case, but La Blache appealed against the verdict (1772). As if having this appeal hanging over his head were not enough, Beaumarchais became involved in a quarrel with the Duc de Chaulnes, formerly one of his friends, who insulted him, assaulted him, and then had him imprisoned at For-l'Evêque. This naturally hampered the conduct of his lawsuit, and the appeal of La Blache was granted, and the former verdict, favourable to Beaumarchais, was reversed.

Now the *rapporteur*, or judge-advocate, who had charge of the case, a certain Counsellor Goëzman, had been sought beforehand by Beaumarchais, who wanted to state his own case in a private interview. This was difficult to obtain, and Beaumarchais had given certain presents to Mme Goëzman to achieve his end—a watch, a hundred *louis d'or*, and a further gift of fifteen *louis d'or* for the secretary. This was not an uncommon practice in eighteenth-century litigation, and the understanding was that if Beaumarchais lost his case the gifts would be returned. Mme Goëzman did in fact return the watch and the hundred *louis d'or*, but not the smaller sum of fifteen *louis*, which she declared she had never seen. Finding that the secretary had not received them either, and incensed by the loss of his case, Beaumarchais pressed for the return of all the money, and became so importunate that Goëzman had to denounce him for slander and corruption.

In the lawsuit that arose in consequence Beaumarchais presented his own case to the public in a series of *Mémoires*, or pleadings, which were written with such incisive wit and vigour and such mastery of the technique of public

controversy that he completely won over public opinion to
his side. The result of the case was that Goëzman lost
his office, and both Mme Goëzman and Beaumarchais were
blâmés. This entailed loss of civil rights for Beaumarchais,
but the public looked upon it as his victory over a corrupt
legal system and in particular over the unpopular *Parlement
Maupeou*. To someone like Beaumarchais, who thrived on
public esteem, this was vindication indeed (1774).

In 1775 *Le Barbier de Séville* appeared at the Comédie
Française after several attempts on the part of his enemies
to hinder it. It did not please the public at first, but
after some changes had been introduced it became a huge
success and has remained so to this day.

Meanwhile the legal disgrace into which Beaumarchais
had fallen, during the Goëzman case, did not prevent the
King himself from using Beaumarchais as a secret agent in
England, in pursuit of the author of some scurrilous
pamphlets against Mme du Barry. Unfortunately for
Beaumarchais, Louis XV died before he returned from
England, and in order to recover his expenses Beau-
marchais had to prove his usefulness to the new King,
Louis XVI.

He was soon on a mission to Germany and Austria, this
time on the track of some pamphlets attacking Louis XVI
and his queen, Marie-Antoinette. It has been contended
by some historians that both these pamphlets and their
author, a certain Angélussi, were the productions of Beaumarchais's own fertile brain, and had been invented simply
to make his services seem as invaluable to the new King
as they had been to the old. It is probable that this was
suspected by some of his contemporaries, but in any case
in 1776 his civil rights were restored.

Then, like his famous contemporary, Voltaire, he became
involved once more in the world of high finance. He
furnished ships and supplies of arms for the American

colonists in their War of Independence against England, and obtained for them a loan of a million francs.

A year after this he took up the cudgels on behalf of the playwrights, who considered they were badly treated by the companies of players to whom they sold their works. In spite of the feebleness of the authors themselves in their own defence, and of the cupidity of the players, he managed to hammer out an agreement to govern the acting rights of a play, and founded the *Société des auteurs dramatiques* to look after the interests of dramatists.

In 1783 he undertook the completion of the Kehl edition of Voltaire's works. This was the first complete edition and, in spite of its many imperfections, is a remarkable achievement. All this immensely varied and exacting work still left him, somehow, sufficient time to complete the sequel to *Le Barbier de Séville*, *Le Mariage de Figaro*, in which the characters of the first play reappear in another situation of plotting and intrigue, and in which the social criticism is even more outspoken.

This was his last great success. In his declining years he engaged in a dispute with Mirabeau over the Paris water company, and then in a lawsuit with the banker Kornman, in which the fickle public, who had supported him many years before against Goëzman, now took sides against him.

Five years after his opera *Tarare* (1787), he produced his last play, *La Mère coupable*. Both were failures, even though in the latter he used the magic character of Figaro once again. *La Mère coupable* was, however, unlike *Le Barbier de Séville* and *Le Mariage de Figaro*, not a comedy but a *drame*, and hardly suited to Figaro's lively personality.

It would seem likely that the Revolution, the mood of which had been so accurately foreshadowed by the sentiments of *Le Mariage de Figaro* in 1784, would have given a favourable turn to the affairs of Beaumarchais. In fact, though he acted for a time as an agent for the Committee of Public Safety, his goods were confiscated by the revolutionaries and his family imprisoned. He himself was forced to go into exile at Hamburg, and was not permitted to return to Paris until 1796, where he died three years later.

The distress of the last years of his life should not blind us to the fact that he had lived a very full existence, involved as he was in all the court intrigue of the day, in much of the secret political life, and also in the financial, legal, and literary conflicts which, however arduous they may have seemed to him at the time, must obviously have been a tremendous stimulus to one with a temperament so well adapted to the thrust and parry of controversy and the excitement of intrigue.

It was this gaiety and vitality in his make-up, with its background of good humour, combativeness, and courage, which he described so well himself in a letter to his father, in words which might well have served as his epitaph :

> Je travaille, j'écris, je confère, je rédige, je représente, je combats : voilà ma vie.... Je suis mes affaires avec l'opiniâtreté que vous me connaissez. Croyez-moi, ne soyez étonné de rien, ni de ma réussite, ni du contraire, s'il arrive.... Cependant, je ris ; mon intarissable belle humeur ne me quitte pas un seul instant.

4. COMEDY IN THE EIGHTEENTH CENTURY

It is only to be expected that the gigantic genius of Molière should overshadow the history of French comedy in the period immediately following his death, just as the achievement of Racine in the field of tragedy made the efforts of those who succeeded him seem feeble in comparison.

Molière had more or less exhausted the *comédie de caractère*, the study of universal human types. The lesser comic writers of the end of the seventeenth century and the beginning of the eighteenth had therefore to concentrate on the depiction of certain types of people who were not necessarily universal, as were those Molière had described, but who nevertheless had a vivid contemporary interest.   When these writers did seek to depict universal types they had perforce to choose minor ones, since the great ones, like *Le Misanthrope* and *L'Avare*, had already been treated in an unsurpassable way by Molière.   Voltaire commented on the restricted scope of the *comédie de caractère* in his *Siècle de Louis XIV* in words which reflected the dilemma of the contemporary dramatist : " Il n'y a, dans la nature humaine, qu'une douzaine, tout au plus, de caractères vraiment comiques et marqués de grands traits."

However, among other things, the vogue of La Bruyère's *Caractères* made easier the public acceptance of plays which depicted characters who were not necessarily universal, but who played important parts in the social life of the age. Boursault, the enemy of Molière and also of Boileau, who attacked him in his *Satires*, wrote a play entitled *Le Mercure galant* (1679), in which he portrayed the beginnings of the power of the Press and the figures connected with it.   Dancourt (1661-1725) depicted the contemporary rake and libertine (the successor to Molière's *Don Juan*) in his *Chevalier à la Mode* (1687).   Dancourt continued writing this type of play, satirizing the foibles of his day—gambling, for instance, in *La Désolation des Joueusès* (1687), the desire for social advancement in *Les Bourgeoises de Qualité* (1700), and the pursuit of riches in *La Loterie* (1697) and *Les Agioteurs* (1710).

Regnard, the best of the comic playwrights of this period, brought the experiences of a very varied life to his writing for the stage.   His plays, of which the chief are *Le Joueur* (1696), *Les Folies amoureuses* (1704), and *Le Légataire universel* (1708), are remarkable for the spirit of gaiety that runs through them. They have obviously been written by someone with a taste for enjoying all the good things of life : " J'aime à rire, moi ; cela me fait faire digestion." On the other hand, Regnard had seen a good deal of the seamy side of life, and the characters in his plays are not particularly amusing in themselves : the young women are shameless and coquettish, the young men are often rogues and cheats.

It is noteworthy that Regnard does not attempt to moralize on his plots, as Molière would have done. He does not draw any conclusions, but simply depicts what happens.

Lesage (1668–1747), who is known chiefly for his picaresque novel *Gil Blas*, wrote also two plays, *Crispin rival de son Maître* (1707) and *Turcaret* (1709). The latter play is an attack on financiers, a theme used by La Bruyère, who made a similar attack in the chapter of his *Caractères* entitled *Des Biens de Fortune*. The characters in *Turcaret* are excellent contemporary portraits. Turcaret himself is hard, ignorant, and yet, like many *parvenus*, extremely gullible in some matters. The philandering nobleman is a worthy companion to Dancourt's *Chevalier à la Mode* ; and Frontin is a new type of valet who takes charge of his master's life and runs it to his own advantage.

Lesage, like Regnard, depicts a society in which the only idea is to get rich as quickly as possible. The gaiety is not so evident as in the plays of Regnard, but the satire is more biting and the wit every bit as swift. It is significant from our point of view that he paid so much attention to the figure of the valet. The valet is perhaps the chief figure of interest in *Crispin rival de son Maître*, in *Turcaret*, and in *Gil Blas*, in which we find a sentence that might well serve as a description of many valets of eighteenth-century comedy : " Un génie supérieur entre dans une maison, plutôt pour commander que pour servir. Il commence par étudier son maître : il se prête à ses défauts, gagne sa confiance, et le mène ensuite par le nez."

Destouches (1680-1754) was another practitioner of the *comédie de caractère* who concentrated on producing portraits of universal human types, but of a minor kind, as the titles of his plays bear witness : *L'Irrésolu*, *Le Médisant*, *L'Indiscret*, *L'Ambitieux*, *Le Glorieux*. There are reminiscences of La Rochefoucauld and La Bruyère in the work of Destouches, but in spite of his dramatic talents his plays are marred by unsuccessful attempts at moralizing.

Yet another character of the period was satirized by Alexis Piron (1689-1773) in his play *La Métromanie*. This contains the story of a bourgeois and would-be intellectual who persists in writing poems and plays though he has obviously no talent. Here again the influence of Molière (*Le Bourgeois Gentilhomme*) is evident.

From the works of all these comic writers we can see that the depiction of middle-class feelings and the gradual decline of the old aristocratic order were coming to the fore as subjects for dramatic treatment. The study of universal types of humanity having been gradually exhausted, some new twist had to be given to comedy to give it a further lease of life, and this was provided by the minutely detailed psychological analysis of sentiment which we see in the plays of Marivaux (1688-1763), who was the greatest comic playwright of the first half of the eighteenth century, as Beaumarchais was of the second half. Marivaux was one of those who acquired their literary experience first of all in the *salons*. He frequented those of Mme de Lambert and Mme de Tencin, and it was there that he perfected that type of dialogue which is particularly his own, and in which he shows his deep knowledge of feminine psychology. He differed from his contemporaries in being less inclined to the cruelty of satire than most of them, and he is one of the few playwrights of his time who could have written: "Va, dans ce monde, il faut être un peu trop bon pour l'être assez."

Marivaux elevated love to the rank of principal theme in his comedies. It had appeared before, of course, in innumerable plays, but always as an accessory. For Marivaux it occupied the centre of the stage, and his whole play was built round it. Racine in the previous century had performed a similar task in the field of tragedy, but whereas love in Racine's plays is a fierce *amour-passion*, with Marivaux it is a gentle *amour-tendresse*. He shows love just as it is beginning to unfold in the human heart, with all its first hesitations and reticences. He said himself: " J'ai guetté dans le cœur humain toutes les niches différentes où peut se cacher l'amour, lorsqu'il craint de se montrer, et chacune de mes comédies a pour objet de le faire sortir d'une de ces niches."

In order to show better the tentative development of love, Marivaux imagines situations in which the lovers do not really know each other, and so are only able to declare their love in a roundabout way. This is what happens in *Le Jeu de l'Amour et du Hasard*, in which a young man, Dorante, in order to get to know the young lady he pursues, disguises himself as his own valet. The young lady has a similar idea, and disguises herself as her own maidservant. Both of them are consequently much disturbed during the course of the play when they find themselves falling in love with a person they take to be a servant.

This kind of situation, and the piquant dialogue to which it gives rise, with its light, witty, conversational tone, and its play on shades of meaning, were known even in the author's own day as *marivaudage*. Marivaux wrote over thirty comedies, of which the best known are *Le Jeu de l'Amour et du Hasard* (1730), *Le Legs* (1736), *Les fausses Confidences* (1737), and *L'Épreuve* (1740). They are in many ways romantic and unreal, and the people in them are rather like the figures in the paintings of Watteau, who live their lives to the sound of lutes and the playing of fountains in country gardens. But there is a genuineness in the development of their conflicting emotions and self-analysis, and there is no lack of humour or spirited repartee. This is particularly noticeable in his charming and lively heroines, whose names are in many cases drawn from the pastoral comedies of a former age—Silvia, Angélique, Araminte. It is perhaps needless to add that, since everything must end happily, the play always finishes with the triumph of love : " Fierté, raison, et richesse, il faudra que tout se rende. Quand l'amour parle il est le maître...."

It is true that the society Marivaux depicts is really only a very small section of the world, and that the detours which love takes to reach its end are sometimes multiplied to excess, but he was unrivalled in his own day for delicate analysis of feelings and for the lively and charming way in which they were expressed.

The happiness and gaiety which are fundamental in the works of Marivaux were not all that the eighteenth-century audience required from its comedies. It was preoccupied, as we have seen, with serious problems, and the middle-class audience was becoming increasingly conscious of its own importance. This last fact had one very important consequence.

In the classical period there was a rigid division between the various literary *genres*, and in particular between tragedy and comedy. Tragedy, according to the theoreticians, was supposed to deal only with the fall from glory of some illustrious personage, usually, though not always, drawn from Greek and Roman history. Comedy, on the other hand, dealt with the activities of the lower and middle classes, since these were always viewed as essentially the province of the comic-writer ; they were ordinary, not exalted themes. But in the eighteenth century the middle class, which was rising to power in every sphere, did not always wish to see itself represented on the stage as a figure of fun, and as a result the comedies in which the bourgeoisie was depicted acquired very often an element of the pathetic and sentimental. Consequently, although tragedy did exist in the eighteenth century along classical lines (the tragedies of Voltaire are an example), the most important feature of the development of eighteenth-century dramatic art is this mixture of the *genres*, and the consequent appearance of plays which had, in defiance of all the classical rules, a tragic or pathetic element co-existing with a comic element. The pathetic element often existed simply side by side with the comic element (as in the works of Destouches and Marivaux), or ousted it completely, in what became known as the *comédie larmoyante*.

The chief exponent of the new *genre* was Nivelle de la Chaussée (1691–1754), who wrote *Le Préjugé à la Mode* (1735), *Mélanide* (1741), and *La Gouvernante* (1747). He attempted to show the sufferings and virtues of private life among the middle classes, and his aim was definitely to arouse not laughter, but tears. His heroes and heroines are serious-minded characters, and the plays are saved from being tragedies by the fact that virtue is always rewarded in the end. The plays are somewhat artificial, because he used the overworked devices of separations, incogniti, recognitions, etc., as in the play *Le Préjugé à la Mode*. The heroine of this play, Constance Durval, is a model of faithful submissive tenderness, but she is abandoned and betrayed. Her husband still loves her, however, though, since it seemed a ridiculous thing in that century to show love for one's wife, he can only admit his love for her at a masked ball, or by letter. Finally they are brought together again and everything ends happily.

It was to this kind of play, with its semi-tragic air, that critics gave the name of *comédie larmoyante*, which it has

borne ever since. The *comédie larmoyante* was a play in
verse; the *drame bourgeois*, on the other hand, used the
medium of prose, as being one more suited to that near-
ness to everyday reality which it sought to achieve. The
influence of English drama was important in the development of this French *drame*. Lillo's *George Barnwell* and
Moore's *The Gamester* were translated into French in 1731
and 1735 respectively, and were much admired and
imitated. Working on similar lines, Diderot, better known
as the editor of the *Encyclopédie*, was a pioneer in the introduction of the *drame bourgeois*. He thought that comedy
should not simply amuse in order to instruct—that was,
ostensibly at least, the aim of Molière himself—but should
tackle social and philosophical problems directly. It
should be, in fact, a kind of acted sermon: " Quelquefois j'ai pensé qu'on discuterait au théâtre les points
de morale les plus importants, et cela sans nuire à la marche
violente et dramatique de l'action.... C'est ainsi qu'un
poète agiterait la question du suicide, de l'honneur, du duel,
de la fortune, des dignités, et cent autres." (*De la poésie
dramatique.*)

Diderot put his theories into practice in two plays,
Le Fils naturel (1757) and *Le Père de Famille* (1758). His
plots had no startling originality, and he imprinted his
own dramatic style on them, which is unfortunately rather
lifeless and turgid. His stage directions impose a good
deal of outward show of feeling on the actors, and there is
too much unnecessary emphasis in the language. It is to
this kind of play that Bartholo alludes in *Le Barbier de
Séville* (Act I, Scene III), though, of course, Beaumarchais
had himself tried his hand at writing them. Not only
Eugénie (1767) and *Les deux Amis* (1770) belong to this
genre, but also the sequel to *Le Mariage de Figaro—La Mère
coupable* (1792)—so it is evident that Beaumarchais was
attracted to it, though not with any success.

Sedaine (1719–97) was a more successful writer of the *drame bourgeois* than either Diderot or Beaumarchais. In his play *Le Philosophe sans le savoir* (1765) he depicts the world of commerce in conflict with the world of the nobility. He manages to make the inner conflict of his characters seem real, which is what Diderot was unable to do. This is achieved partly by the naturalness of his dialogue, and partly by his observation of the real thoughts and feelings of the merchant class.

Mercier (1740–1814) was the last of those who had any success with this *genre*, in his play *La Brouette du Vinaigrier*. This is simply another variation on the theme that trade is a worthy calling and one person's money honestly gained is as good as another's, whatever their difference in rank. After him the *drame bourgeois* deteriorated into the melodrama of the nineteenth century.

5. The Art of Beaumarchais

As we have seen, Beaumarchais began his dramatic career with two *drames*, neither of which is read to-day, *Eugénie ou la Vertu malheureuse* (1767), and *Les deux Amis ou le Négociant de Lyon* (1770). The first was based on an incident which happened during his visit to Spain, and the second dealt with the business world of the French bourgeoisie.

This kind of drama was in accordance with the more advanced taste of the age, but Beaumarchais had no more success with it than had Diderot. His true gifts appeared only with *Le Barbier de Séville*, produced in 1775, and its sequel *Le Mariage de Figaro*, produced in 1784. In these two plays he revived the concept of the *comédie d'intrigue*, that is, a comedy based on an interesting and well-worked-out plot. The *comédie d'intrigue* had been superseded by the moralizing comedies of Beaumarchais's predecessors, and he wished to re-infuse into French comedy the attention to the resources of a good plot, and the vitality and wit which had been present in both Regnard and Molière. It was his combination of these two qualities that made him the supreme comic playwright of his age.

The attention paid to the plot did not mean that his plays were to be devoid of ideas. On the contrary, once stripped of their heavy didactic burden, the ideas would be more easily expressed and more readily grasped by the audience. He was concerned above all with social satire, with the criticism of a decadent society, not of the individuals in it: "Les vices, les abus, voilà ce qui ne change point, mais se déguise en mille formes sous les masques des mœurs dominantes; leur arracher ce masque et les montrer à découvert, telle est la noble tâche de l'homme qui se dévoue au théâtre."

His aim was, therefore, to expose vices and social abuses; but his method was to amuse. So, while he borrowed ideas for his plots and characters from other playwrights, his treatment of them made them live as independent creations. In *Le Barbier de Séville* Rosine, for example, though she has much in common with Molière's Agnès (*L'École des Femmes*), has none of the latter's slowness. She is clever and skilful in aiding and abetting Figaro to frustrate her guardian, Bartholo, and we are not surprised to see her later as the Countess in *Le Mariage de Figaro*. Almaviva is not a diffident lover out of a pastoral comedy, even though he uses the name Lindor. He is a great noble, fully aware of his powers, and (in *Le Mariage de Figaro*) perhaps too much so.

Figaro himself, though modelled on the traditional valet of Italian comedy, is much more independent and resourceful than his predecessors.

This infusing of life into the dead forms of literature

results in a speeding-up of the movement of the play. As a consequence, even though Beaumarchais uses the old formulas—disguises, for example (as in *Le Barbier de Séville*, Act II, Scene III, and Act III, Scene XII; and in *Le Mariage de Figaro*, Act IV, Scenes IV and V)—there is no rigidity in his use of them. There is also a fairly even balance between the two groups of antagonists in the plays : Bartholo, for instance, unmasks the Count (*Le Barbier de Séville*, Act III, Scene XII) and Almaviva himself guesses that Chérubin is in his wife's room (*Le Mariage de Figaro*, Act II, Scene X). By this method of combining old tricks with unforeseen developments, Beaumarchais keeps us continually uncertain as to what the final outcome of a particular scene or act will be.

The wit of Beaumarchais's comedies is for the most part evenly divided between the characters, but it is only to be expected that Figaro should be the exception to this and have the lion's share of *bons mots*. Sometimes this takes the form of an unusual logic to upset his opponent :

> BARTHOLO. Que direz-vous, monsieur le zélé, à ce mal-heureux qui bâille et dort tout éveillé ? et l'autre qui, depuis trois heures, éternue à se faire sauter le crâne et jaillir la cervelle ?
>
> FIGARO. Eh, parbleu ! je dirai à celui qui éternue : *Dieu vous bénisse* et *Va te coucher* à celui qui bâille."
>
> (*Le Barbier de Séville*, Act III, Scene V.)

Sometimes it takes the form of a straightforward repartee, as when the Count says to him :

> " Fi donc, tu as l'ivresse du peuple."

and Figaro replies :

> " C'est la bonne, c'est celle du plaisir."

But Beaumarchais's wit is not confined simply to repartee. It finds its true scope in the assessment of the various social institutions of the day—the administration of justice (as shown in the figure of Brid'Oison in *Le Mariage de Figaro*) and the abuse of privilege by the nobility, as illustrated by the character of Almaviva and the reactions of the various other characters to him.

All these elements appear to some extent in *Le Barbier de Séville*, but they are shown with still greater vigour in *Le Mariage de Figaro*, which completes the picture sketched by the first play, with bolder, firmer strokes, and in which the vehement speech of Figaro on the behaviour of Almaviva seems to step out of its context and to speak to a revolutionary audience on the rights of man.

6. THE PLAY

As Beaumarchais points out in his preface, the subject he had chosen was by no means a new one. A similar theme had been treated by Molière in *L'École des Femmes*, and by Regnard in *Les Folies Amoureuses*. There was also a comedy by Fatouville produced by the Comédie Italienne in 1692 which bore the title *La Précaution Inutile*, from which Beaumarchais borrowed, among other things, the sub-title for his own play. Lastly, it is quite probable that he drew some inspiration from a comic opera by Sedaine and Monsigny called *On ne s'avise jamais de tout*, which had been produced in 1761, though in his preface he cleverly parries an accusation of plagiarism of this play.

But, however extensive his borrowing may have been, he succeeded, by the perfection of his technique, in surpassing any other comedy on the same theme. The theme itself is commonplace, as he is the first to admit: an old guardian in love with his young and beautiful ward; a noble lover in disguise; and the latter's cunning valet who introduces his master into the guardian's house and brings about his master's wedding with the ward by various stratagems. The subject is treated in a manner that approximates very closely to the classical formula. The action is contained within twenty-four hours. The subject is simple, but there is plenty of variety in the ways in which it is approached.

In the first act, after a rapid and skilful exposition of the various factors of the plot, all the characters are introduced or mentioned, and we are shown the first stratagem used by Almaviva to gain access to Bartholo's house. In the second act the audience is amused by several incidents (the candle, the writing-paper, the imaginary bag of sweets, Rosine's ink-stained finger) until Almaviva's appearance in military disguise. Then there follows the game of wits between Almaviva and Bartholo, while the former tries to pass his letter to Rosine, and Bartholo tries to discover it. The third act begins without our knowing what Figaro's new stratagem is, but we soon find out when the Count enters, disguised this time as a student, and, saying he is the pupil of Bazile, who is supposed to be sick, proceeds to give Rosine a music lesson. When Bazile himself enters the action quickens, and we are on tenterhooks until he is got rid of without arousing Bartholo's suspicions.

As if the lovers were having things too much their own way, the fourth act brings us to a reversal of the favourable situation, Rosine having been persuaded by Bartholo to disclose " Lindor's " plans. Beaumarchais shows unmistakably his dramatic genius in the way he disentangles this last complication and brings about the union of the two lovers at the expense of Bartholo himself. In fact, throughout the whole course of the play we can see the author's ability to keep our interest alive by the use of various obstacles to the lovers' success, while at the same time using what are fundamentally worn-out dramatic procedures.

The same liveliness in the treatment of the action marks his depiction of the characters. Rosine is modest and innocent, and yet endowed with all the wiles of a woman in love when she is forced to use them by the unbearable situation in which she finds herself. There is an appealing lightness of touch in Beaumarchais's depiction of her love and delicacy of feeling.

Her lover, Almaviva, is definitely the great noble, conscious of his birth and position, but not lacking either in grace of manner or accomplishments, as the second scene of the first act shows. In this play his love for Rosine is impulsive and honourable, and it is not until he reappears in *Le Mariage de Figaro* that he becomes the *grand seigneur* in the Don Juan tradition, haughty and contemptuous of the rights of others. In *Le Barbier de Séville* his wit and ardour quickly gain our sympathy, which is not alienated, as it is in the later play, by his abuse of his powers.

Bartholo is a departure from the usual tradition in comedies of this kind. He is not, like most of the crotchety old guardians of French and Italian comedy, the dupe of all who meet him. He is well aware of what is going on, and of the intentions of those who are trying to defeat his plan to marry Rosine. He is an able match for his opponents, and it is only Figaro's ruse which finally brings about his discomfiture. It was a master-stroke on Beaumarchais's part to make him so cunning and capable, because it makes the character of Figaro himself seem all the more credible. Without Bartholo he would be merely the sly valet taking advantage of a simple old man ; with Bartholo he has a foil to his wit and cunning, which makes the match seem a more even one and thereby heightens the dramatic interest.

Figaro himself is of course the supreme creation of his author. The comedy valet is one of the oldest characters in literature, and the history of French comedy in the

hundred years or more preceding Beaumarchais is full of
Scapins, Mascarilles, Frontins, and Crispins, who are wiser
than their master but have to serve them nonetheless.
Figaro in *Le Barbier de Séville* is not necessarily wiser than
Almaviva, who has his own not inconsiderable talents, but
his wisdom is of a different kind. It is not that of the
salons and the court, but the wisdom of life and experience,
a fact which explains the sudden unexpected pathos in such
a statement as: " Je me presse de rire de tout, de peur
d'être obligé d'en pleurer." Like his creator he is a
symbol of the new age, the age which demanded the reduc-
tion of the rights of the nobility in favour of those who
earned their living and their position in the world by the
use of their brains, and not as the result of something
fortuitous like noble birth or inherited wealth. He is
sceptical about many things, including love, women, and
literature, but his fondness for intrigue makes him further
the affair of the Count and Rosine once it has begun, for the
sake of outwitting Bartholo. There is in this a certain
similarity to the way in which Beaumarchais himself,
though sceptical about many of the accepted values of the
society of his day, nevertheless joined in its activities
because it provided a field for the exercise of his talents.
Like his creator, Figaro has wit, courage, and a genius for
intrigue.

Added to this masterly characterization there is also the
rapidity and verve of the dialogue, which occasionally
rises to such heights of eloquence and wit as Bazile's tirade
on calumny. This is again merely a reflection of the wit of
the author himself, which he had used to such damaging
effect in his *Mémoires*. The wit is not pointless, moreover.
It is directed to a specific end: the criticism of certain
assumptions of the society of his time. Beaumarchais is
definitely on the side of the new ideas which attack these
traditional assumptions, and it is significant that he puts

an attack on innovations into the mouth of his most un-
sympathetic character :

> BARTHOLO. Quelque drame encore! quelque sottise d'un
> nouveau genre !
>
> ROSINE. Je n'en sais rien.
>
> BARTHOLO. Euh, euh, les journaux et l'autorité nous en
> feront raison. Siècle barbare !...
>
> ROSINE. Vous injuriez toujours notre pauvre siècle.
>
> BARTHOLO. Pardon de la liberté ! Qu'a-t-il produit pour
> qu'on le loue ? Sottises de toute espèce : la liberté de
> penser, l'attraction, l'électricité, le tolérantisme, l'inoculation,
> le quinquina, l'*Encyclopédie*, et les drames . . ."
>
> (Act I, Scene III)

This kind of criticism of contemporary society appears
in a much more developed form in *Le Mariage de Figaro*,
but it is definitely present in *Le Barbier de Séville*. Even
though the fundamental dispute in the play is between two
partisans of the old order, Bartholo and Almaviva, and
although the latter wins the day, neither of these two really
holds the stage. This triumph is reserved for Figaro, the
symbol of the servant who by virtue of his wit and brains
will shortly usurp his master's position and rule in his
stead, the symbol of the common people of France. The
criticism is not blunt and uncompromising, but is presented
rather in the form of maxims, like those of La Rochefoucauld. The effect is to make them seem as if they are
not suggestions for reform, but really accepted observations on human nature, observations which no reasonable
person would deny.

In his preface to *Le Mariage de Figaro* Beaumarchais says :
" Le théâtre est un géant qui blesse à mort tout ce qu'il
frappe." It is quite certain that in his hands the theatre
struck some very shrewd blows at the corrupt and decadent
body of the *ancien régime*, blows which in the end proved
mortal.

History of the Play

The play was originally conceived as a private entertainment for the financier Lenormand, and was intended to be performed at his private theatre. Then, in 1772, it was cast in the form of a comic opera (some fragments of this form can still be seen in the play) which was offered to the Comédie Italienne and rejected. Beaumarchais then rewrote his work and made from it a four-act comedy, which passed the censor in 1773 and was to be presented at the Comédie Française. But because of some overt allusions in it to the Goëzman affair which was then *sub judice*, the play was forbidden. When it was first produced on February 23, 1775, the public, whose appetite had been whetted by the fact that they were seeing a play which had previously been banned, were somewhat disappointed. This was partly because they did not find it so amusing as they had been led to expect, and partly because Beaumarchais had drawn it out to five acts.

Taking the hint, he withdrew the play as it stood and rewrote it in its original form of four acts. When it was shown in this, its final form, it was a tremendous success. In 1780 the Italian composer Paisiello set it to music, but this setting was superseded by Rossini's adaptation of it for his comic opera *Il Barbiere di Seviglia*, written in 1816. This musical version has in our own day been filmed, both in France and Italy.

7.   THE 'LETTRE MODÉRÉE'

Beaumarchais was not content to let his play speak for itself to the French public. Like most French dramatists (see for instance the *Examens* of Corneille, and the *Préfaces* of Racine and Victor Hugo) he deemed it a necessary part of his task to explain his aims and methods in a critical essay. This essay in his case took the form of a letter to the reader, printed as a preface to the first printed edition of his play. This letter was called *Lettre Modérée sur la Chute et la Critique du Barbier de Séville*.

In spite of the fact that it was written by the author of the play of which it purports to be a commentary, it is in reality as good a piece of criticism of *Le Barbier de Séville* as any that have been written since. It not only gives a detailed description of Beaumarchais's intention in writing the play, and his replies to certain objections which had been made about the *vraisemblance* of certain passages and characters, but also contains a thumbnail sketch of Beaumarchais's literary career, and an outline of his opinions on the drama and on many topics of the day.

He begins by asking the reader to judge his play only if he is in a happy mood, well-fed and content : " Avez-vous à souhait double estomac, bon cuisinier, maîtresse honnête et repos imperturbable ? Ah ! parlons, parlons : donnez audience à mon *Barbier*." This introduction sets the bantering tone in which the letter is for the most part written. Then he lightly touches on his literary past ; his two *drames*, *Eugénie* and *Les deux Amis*, for which he ironically apologizes as being contrary to the accepted canons of taste, and his *Mémoires*, for which he expresses his regrets in a similar manner, with his tongue in his cheek : " Pressé depuis par les événements, j'ai hasardé de malheureux Mémoires, que mes ennemis n'ont pas trouvé du bon style ; et j'en ai le remords cruel."

Next he goes on to say that he has heard that all an author needs for success is to be approved by his readers and lacerated by the critics ; and if he can only win his readers' approbation he is sure of success for his play since, he says, the critics have already performed their part.

The first public reaction to the play is then described : all of those who had approved of it when read in the *salons* found it weaker on the stage, and some even said it was " la plus grande platitude du monde." Beaumarchais at this point has some bitter comments on the inconstancy of friendship and of fame : "Tels sont les hommes : avez-vous du succès, ils vous accueillent, vous portent, vous caressent, ils s'honorent de vous ; mais gardez de broncher dans la carrière : au moindre échec, ô mes amis ! souvenez-vous qu'il n'est plus d'amis."

So to the critics. The chief quality of criticism, says Beaumarchais, should be fair play. The critic and the writer should thrust and parry in an amusing and witty fashion, to the profit and entertainment of themselves and the public. Instead of this the critics, and in particular a certain journalist who has attacked him in a paper called *Journal encyclopédique de Bouillon*, accuse him of having written a farce without a plot, and condemn him outright. Beaumarchais replies by saying that the only farcical element is the criticism itself, and that the plot of *Le Barbier de Séville* is there if the critic will look for it, and that it is the simplest possible :

> Un vieillard amoureux prétend épouser demain sa pupille ; un jeune amant plus adroit le prévient, et ce jour même en fait sa femme à la barbe et dans la maison du tuteur. Voilà le fond, dont on eût pu faire, avec un égal succès, une tragédie, une comédie, un drame, un opéra, et cætera. L'Avare de Molière est-il autre chose ? Le Grand Mithridate est-il autre chose? Le genre d'une pièce, comme celui de toute autre action, dépend moins du fond des choses que des caractères qui les mettent en œuvre.

Having outlined this simple plot, he adds that he thinks *Le Barbier de Séville* is an improvement on other plays which have a similar one, because the guardian, Bartholo, is " un peu moins sot que ceux qu'on trompe au théâtre," and that this gives the play more movement and makes the action more lively.

Beaumarchais then examines the charge that the play is *invraisemblable*. The critic " établi dans Bouillon " had attacked the coincidence of Figaro's meeting so opportunely with Count Almaviva at the beginning of the play; to which Beaumarchais replies in a disarming manner that this may be perhaps be considered an unlikely possibility, but that if you deny it, there would simply be no play at all : "Une chose est-elle invraisemblable parce qu'elle était possible autrement?" Then he picks out some actual mistakes on the part of the critic, who had said, for instance, that Almaviva's only purpose at first seemed to be to pass a letter to Rosine. Beaumarchais points out that the affair of the letter is simply an accessory to the plot, and that the main purpose is to introduce the Count into Bartholo's house. Nor is it ridiculous for the Count to climb into Rosine's room by a ladder, because the door is not, as the critic had declared, open, but had in fact been locked by Bartholo, who had given the key to Bazile (cf. Act IV, Scene I).

Beaumarchais continues by asking in a roundabout and ironical fashion why the critic did not, while he was examining the play for faults, point out some of its good features, for example the way in which the first act introduces all the characters in the play, or the comedy in the second act, when Rosine makes Bartholo apologize for entertaining suspicions which were in fact fully justified. Or again, says Beaumarchais, why did he not mention " la scène de stupéfaction de Bazile au troisième acte, qui a paru si neuve au théâtre, et a tant réjoui les spectateurs...."

He remarks, too, that the critics had accused him of a lack of reality in not making the behaviour of the characters conform more to Spanish usage since the action was supposed to take place in Seville. Beaumarchais replies to this accusation by saying that some sacrifice is always necessary when the scene of a play is laid in another country, and that if he were to be as perfectly consistent in this matter as the critics seem to require he might just as well have written the play in Spanish, which would have made it completely unintelligible to his Parisian audience.

So to other details. He cleverly turns an accusation of plagiarism by a play on words :

> Un autre amateur, saisissant l'instant qu'il y avait beaucoup de monde au foyer, m'a reproché, du ton le plus sérieux, que ma pièce ressemblait à *On ne s'avise jamais de tout*. " Ressembler, monsieur ! Je soutiens que ma pièce est *On ne s'avise jamais de tout*, lui-même.—Et comment cela ?—C'est qu'on ne s'était pas encore avisé de ma pièce." L'amateur resta court, et l'on en rit d'autant plus, que celui-là qui me reprochait *On ne s'avise jamais de tout* est un homme qui ne s'est jamais avisé de rien.

And he forestalls possible objections from two other powerful quarters, from doctors and from women, who might conceivably think themselves portrayed in an unfavourable light, by saying that both are so necessary to mankind that between them they rule the world :

> Eh ! qui pourrait nuire à deux corps puissants, dont l'empire embrasse l'univers, et se partage le monde ? Malgré les envieux, les belles y régneront toujours par le plaisir, et les médicins par la douleur : et la brillante santé nous ramène à l'amour, comme la maladie nous rend à la médecine....

Finally he calls a truce to commentary and repartee, saying that he does not wish to overload his play, which is after all only meant to be a pleasant trifle : " c'est assez pour une bagatelle." This lively and witty preface then ends, appropriately enough, on an epigrammatic note, for Beaumarchais says that if he makes his preface much longer, " Insensiblement je tomberais dans le défaut si justement reproché à nos Français, de toujours faire de petites chansons sur les grandes affaires, et de grandes dissertations sur les petites."

SUGGESTIONS FOR FURTHER READING AND REFERENCE

I. THE COMPLETE WORKS OF BEAUMARCHAIS

Œuvres Complètes de Beaumarchais. Edited by d'Heylli and Marescot (Académie des Bibliophiles, 1870).

Beaumarchais. Théâtre, lettres relatives à son théâtre. Texte établi et annoté par M. Allem (Gallimard, Bibliothèque de la Pléiade, 1934).

Beaumarchais. Théâtre, édité par M. Rat (Garnier, 1950).

II. THE LIFE AND WORKS OF BEAUMARCHAIS

DALSÈME, R. : *La vie de Beaumarchais* (Gallimard, 1928).

FRISCHAUER, P. : *Beaumarchais : an adventurer in a century of women* (Nicholson and Watson, 1936).

GAIFFE, F. : *Le Mariage de Figaro* (Société Française d'Editions Littéraires et Techniques, 1928).

HALLAYS, A. : *Beaumarchais* (Hachette, 1893).

JOHNSON, M. L. : *Beaumarchais and his Opponents* (Columbia University Press, 1936).

LATZARUS, L. : *La vie de Beaumarchais* (Plon, 1930).

LINTILHAC, E. : *Beaumarchais et ses œuvres* (Hachette, 1887).

LOMÉNIE, L. DE : *Beaumarchais et son temps* (2 vols. Michel-Lévy, 1856).

III. THE AGE AND BACKGROUND OF BEAUMARCHAIS

BÉDIER, J., and HAZARD, P. : *La Littérature française,* Vol. II. (new ed. by P. Martino, Larousse, 1949).

BRAUNSCHVIG, M. : *Notre Littérature étudiée dans les Textes,* Vol. II. (Harrap).

GAIFFE, F. : *Le Rire et la Scène française* (Boivin, 1931).

GAXOTTE, P. : *Le Siècle de Louis XV* (Fayard, 1933).

HAZARD, P. : *La Pensée européenne au XVIIIᵉ siècle* (Boivin, 1946).

JOURDAIN, E. F. : *Dramatic Theory and Practice in France,* 1690-1808 (Longmans, 1921).

LEDÉSERT, R. P. L. and D. M. : *Histoire de la Littérature française, Vol. II* (Arnold, 1947).

LENIENT, C. : *La Comédie en France au XVIIIᵉ siècle* (2 vols, Hachette, 1888).

MORNET, D. : *La Pensée française au XVIIIᵉ siècle* (Colin, 1932).

MORNET, D. : *Les Origines intellectuelles de la Révolution française,* 1715-1787 (Colin, 1933).

IV. BIBLIOGRAPHY

CORDIER, H. : *Bibliographie des Œuvres de Beaumarchais* (A. Quantin, 1883).

LE BARBIER DE SÉVILLE

PERSONNAGES

(ET LEUR HABILLEMENT SUIVANT L'ANCIEN COSTUME ESPAGNOL)

LE COMTE ALMAVIVA, grand d'Espagne,* amant inconnu de Rosine, paraît, au premier acte, en veste et culotte de satin ; il est enveloppé d'un grand manteau brun, ou cape espagnole ; chapeau noir rabattu, avec un ruban de couleur autour de la forme.* Au deuxième acte, habit uniforme de cavalier, avec des moustaches et des bottines. Au troisième, habillé en bachelier ; cheveux ronds, grande fraise au cou, veste, culotte, bas et manteau d'abbé. Au quatrième acte, il est vêtu superbement à l'espagnole avec un riche manteau ; par-dessus tout, le large manteau brun dont il se tient enveloppé.

BARTHOLO, médecin, tuteur de Rosine : habit noir, court, boutonné ; grande perruque ; fraise et manchettes relevées ; une ceinture noire ; et, quand il veut sortir de chez lui, un long manteau écarlate.

ROSINE, jeune personne d'extraction noble, et pupille de Bartholo : habillée à l'espagnole.

FIGARO, barbier de Séville : en habit de majo * espagnol. La tête couverte d'un rescille,* ou filet ; chapeau blanc, ruban de couleur autour de la forme, un fichu de soie attaché fort lâche à son cou, gilet et haut-de-chausse de satin, avec des boutons et boutonnières frangés d'argent ; une grande ceinture de soie, les jarretières nouées avec des glands qui pendent sur chaque jambe ; veste de couleur

---

* An asterisk indicates that the word or phrase so marked is dealt with in the Notes at the end of the book.

tranchante, à grands revers de la couleur du gilet ; bas blancs et souliers gris.

Don Bazile, organiste, maître à chanter de Rosine : chapeau noir rabattu, soutanelle * et long manteau, sans fraise ni manchettes.

La Jeunesse, vieux domestique de Bartholo.

L'Éveillé, autre valet de Bartholo, garçon niais et endormi. Tous deux habillés en Galiciens * : tous les cheveux dans la queue ; gilet couleur de chamois * ; large ceinture de peau, avec une boucle ; culotte bleue et veste de même, dont les manches, ouvertes aux épaules pour le passage des bras, sont pendantes par derrière.

Un notaire.

Un alcade, homme de justice : tient une longue baguette blanche à la main.

Plusieurs alguazils * et valets avec des flambeaux.

La scène est à Séville, dans la rue et sous les fenêtres de Rosine, au premier acte ; et, le reste de la pièce, dans la maison du Docteur Bartholo.

ACTE I

Le théâtre représente une rue de Séville, où toutes les croisées sont grillées

SCÈNE PREMIÈRE

Le comte, seul, en grand manteau brun et chapeau rabattu. Il tire sa montre en se promenant.

Le jour est moins avancé que je ne croyais. L'heure à laquelle elle a coutume de se montrer derrière sa jalousie * est encore éloignée. N'importe ; il vaut mieux arriver trop tôt, que de manquer l'instant de la voir. Si quelque aimable * de la cour pouvait me deviner à cent lieues de Madrid, arrêté tous les matins sous les fenêtres d'une femme à qui je n'ai jamais parlé, il me prendrait pour un Espagnol du temps d'Isabelle *... Pourquoi non ? Chacun court après le bonheur. Il est pour moi dans le cœur de Rosine... Mais quoi ! suivre une femme à Séville, quand Madrid et 10 la cour offrent de toutes parts des plaisirs si faciles ?... Et c'est cela même que je fuis. Je suis las des conquêtes que l'intérêt, la convenance ou la vanité nous présentent sans cesse. Il est si doux d'être aimé pour soi-même ! Et si je pouvais m'assurer sous ce déguisement... Au diable l'importun !

SCÈNE II

Figaro, le comte, caché

FIGARO, *une guitare sur le dos, attachée en bandoulière * avec un large ruban ; il chantonne gaiement, un papier et un crayon à la main.*

> Bannissons le chagrin,*   20
> Il nous consume :
> Sans le feu du bon vin
> Qui nous rallume.

3

> Réduit à languir,
> L'homme, sans plaisir,
> Vivrait comme un sot,
> Et mourrait bientôt.

Jusque-là ceci ne va pas mal, hein, hein ?

> Et mourrait bientôt...
> Le vin et la paresse
> Se disputent mon cœur.

Eh non ! ils ne se le disputent pas, ils y règnent paisi-
blement ensemble...

> Se partagent... mon cœur.

Dit-on : se partagent ?... Eh ! mon Dieu, nos faiseurs
d'opéras-comiques n'y regardent pas de si près. Aujour-
d'hui, ce qui ne vaut pas la peine d'être dit, on le chante.
[*Il chante.*]

> Le vin et la paresse
> Se partagent mon cœur.

Je voudrais finir par quelque chose de beau, de brillant,
de scintillant, qui eût l'air d'une pensée. [*Il met un genou
en terre, et écrit en chantant.*]

> Se partagent mon cœur.
> Si l'une a ma tendresse...
> L'autre fait mon bonheur.

Fi donc ! c'est plat. Ce n'est pas ça... Il me faut une
opposition, une antithèse :

> Si l'une... est ma maîtresse,
> L'autre...

Eh ! parbleu, j'y suis :

> L'autre est mon serviteur.

Fort bien, Figaro !... [*Il écrit en chantant.*]

> Le vin et la paresse
> Se partagent mon cœur.
> Si l'une est ma maîtresse,
> L'autre est mon serviteur.
> L'autre est mon serviteur.
> L'autre est mon serviteur.

Hem, hem, quand il y aura des accompagnements là-dessous, nous verrons encore, messieurs de la cabale,* si je ne sais ce que je dis… [*Il aperçoit le comte.*] J'ai vu cet abbé-là quelque part. [*Il se relève.*]

LE COMTE, *à part.* Cet homme ne m'est pas inconnu.

FIGARO. Eh non, ce n'est pas un abbé ! Cet air altier et noble…

LE COMTE. Cette tournure grotesque…

FIGARO. Je ne me trompe point : c'est le comte Alma-viva.

LE COMTE. Je crois que c'est ce coquin de Figaro.

FIGARO. C'est lui-même, monseigneur.

LE COMTE. Maraud ! si tu dis un mot…

FIGARO. Oui, je vous reconnais ; voilà les bontés fami-lières dont vous m'avez toujours honoré.

LE COMTE. Je ne te reconnaissais pas, moi. Te voilà si gros et si gras…

FIGARO. Que voulez-vous, monseigneur, c'est la misère.

LE COMTE. Pauvre petit ! Mais que fais-tu à Séville ? Je t'avais autrefois recommandé dans les bureaux * pour un emploi.

FIGARO. Je l'ai obtenu, monseigneur ; et ma recon-naissance…

LE COMTE. Appelle-moi Lindor.* Ne vois-tu pas, à mon déguisement, que je veux être inconnu ?

FIGARO. Je me retire.

LE COMTE. Au contraire. J'attends ici quelque chose, et deux hommes qui jasent sont moins suspects qu'un seul qui se promène. Ayons l'air de jaser. Eh bien, cet emploi ?

FIGARO. Le ministre, ayant égard à la recommandation de Votre Excellence, me fit nommer sur-le-champ garçon apothicaire.

LE COMTE. Dans les hôpitaux de l'armée ?

FIGARO. Non ; dans les haras d'Andalousie.*

LE COMTE, *riant*. Beau début !

FIGARO. Le poste n'était pas mauvais, parce qu'ayant le district des pansements * et des drogues, je vendais souvent aux hommes de bonnes médecines de cheval...

LE COMTE. Qui tuaient les sujets du roi !

FIGARO. Ah, ah, il n'y a point de remède universel— ...mais qui n'ont pas laissé de guérir * quelquefois des Galiciens, des Catalans, des Auvergnats.

LE COMTE. Pourquoi donc l'as-tu quitté ?

FIGARO. Quitté ?　C'est bien lui-même * ;　on m'a desservi auprès des puissances : 10

> L'envie aux doigts crochus, au teint pâle et livide...

LE COMTE. Oh grâce ! grâce, ami ! Est-ce que tu fais aussi des vers ?　Je t'ai vu là griffonnant sur ton genou, et chantant dès le matin.

FIGARO. Voilà précisément la cause de mon malheur, Excellence.　Quand on a rapporté au ministre que je faisais, je puis dire assez joliment, des bouquets à Chloris * ; que j'envoyais des énigmes aux journaux,* qu'il courait des madrigaux de ma façon * ;　en un mot, quand il a su que 20 j'étais imprimé tout vif,* il a pris la chose au tragique et m'a fait ôter mon emploi, sous prétexte que l'amour des lettres est incompatible avec l'esprit des affaires.

LE COMTE. Puissamment raisonné !　Et tu ne lui fis pas représenter...

FIGARO. Je me crus trop heureux d'en être oublié, persuadé qu'un grand nous fait assez de bien quand il ne nous fait pas de mal.

LE COMTE. Tu ne dis pas tout.　Je me souviens qu'à mon service tu étais un assez mauvais sujet. 30

FIGARO. Eh ! mon Dieu, monseigneur, c'est qu'on veut que le pauvre soit sans défaut.

LE COMTE. Paresseux, dérangé...

FIGARO. Aux vertus qu'on exige dans un domestique,

Votre Excellence connaît-elle beaucoup de maîtres qui fussent dignes d'être valets ?

LE COMTE, *riant*. Pas mal ! Et tu t'es retiré en cette ville ?

FIGARO. Non, pas tout de suite.

LE COMTE, *l'arrêtant*. Un moment... J'ai cru que c'était elle... Dis toujours, je t'entends de reste.

FIGARO. De retour à Madrid, je voulus essayer de nouveau mes talents littéraires ; et le théâtre me parut un champ d'honneur...   10

LE COMTE. Ah ! miséricorde !

FIGARO [*Pendant sa réplique, le comte regarde avec attention du côté de la jalousie*]. En vérité, je ne sais comment je n'eus pas le plus grand succès, car j'avais rempli le parterre des plus excellents travailleurs ; des mains... comme des battoirs ; j'avais interdit les gants, les cannes, tout ce qui ne produit que des applaudissements sourds ; et d'honneur, avant la pièce, le café * m'avait paru dans les meilleures dispositions pour moi. Mais les efforts de la cabale...   20

LE COMTE. Ah ! la cabale ! monsieur l'auteur tombé !

FIGARO. Tout comme un autre ; pourquoi pas ? Ils m'ont sifflé ; mais si jamais je puis les rassembler...

LE COMTE. L'ennui te vengera bien d'eux ?

FIGARO. Ah ! comme je leur en garde,* morbleu!

LE COMTE. Tu jures ! Sais-tu qu'on n'a que vingt-quatre heures, au Palais, pour maudire ses juges ? *

FIGARO. On a vingt-quatre ans au théâtre ; la vie est trop courte pour user * un pareil ressentiment.

LE COMTE. Ta joyeuse colère me réjouit. Mais tu ne   30 me dis pas ce qui t'a fait quitter Madrid.

FIGARO. C'est mon bon ange, Excellence, puisque je suis assez heureux pour retrouver mon ancien maître. Voyant à Madrid que la république des lettres était celle des loups, toujours armés les uns contre les autres, et que, livrés au mépris où ce risible acharnement les conduit, tous les insectes, les moustiques, les cousins, les critiques, les maringouins,* les envieux, les feuillistes,* les libraires, les censeurs, et tout ce qui s'attache à la peau des malheureux gens de lettres, achevait de déchiqueter et sucer le peu de substance qui leur restait ; fatigué d'écrire, ennuyé de moi, dégoûté des autres, abîmé de dettes et léger d'argent ; à la fin convaincu que l'utile revenu du rasoir est préférable aux vains honneurs de la plume, j'ai quitté Madrid ; et, mon bagage en sautoir, parcourant philosophiquement les deux   10 Castilles, la Manche, l'Estramadure, la Sierra-Morena, l'Andalousie ; accueilli dans une ville, emprisonné dans l'autre, et partout supérieur aux événements ; loué par ceux-ci, blâmé * par ceux-là ; aidant au bon temps, supportant le mauvais ; me moquant des sots, bravant les méchants ; riant de ma misère, et faisant la barbe à tout le monde * ; vous me voyez enfin établi dans Séville, et prêt à servir de nouveau Votre Excellence en tout ce qu'il lui plaira de m'ordonner.

LE COMTE. Qui t'a donné une philosophie aussi gaie ?   20

FIGARO. L'habitude du malheur. Je me presse de rire de tout, de peur d'être obligé d'en pleurer. Que regardez-vous donc toujours de ce côté ?

LE COMTE. Sauvons-nous.

FIGARO. Pourquoi ?

LE COMTE. Viens donc, malheureux ! tu me perds. [*Ils se cachent.*]

SCÈNE III

Bartholo, Rosine
La jalousie du premier étage s'ouvre,
et Bartholo et Rosine se mettent à la fenêtre.

ROSINE. Comme le grand air fait plaisir à respirer !... Cette jalousie s'ouvre si rarement...

BARTHOLO. Quel papier tenez-vous là ?

ROSINE. Ce sont des couplets de *la Précaution inutile,* que mon maître à chanter m'a donnés hier.

BARTHOLO. Qu'est-ce que *la Précaution inutile ?*

ROSINE. C'est une comédie nouvelle.

BARTHOLO. Quelque drame encore ! * quelque sottise d'un nouveau genre !

ROSINE. Je n'en sais rien.

BARTHOLO. Euh, euh, les journaux et l'autorité nous en feront raison.   Siècle barbare !...   10

ROSINE. Vous injuriez toujours notre pauvre siècle.

BARTHOLO. Pardon de la liberté !   Qu'a-t-il produit pour qu'on le loue ?   Sottises de toute espèce : la liberté de penser, l'attraction,* l'électricité, le tolérantisme, l'inoculation,* le quinquina,* l'*Encyclopédie,* et les drames...

ROSINE [*Le papier lui échappe et tombe dans la rue*]. Ah ! ma chanson ! ma chanson est tombée en vous écoutant * ; courez, courez donc, monsieur ! ma chanson, elle sera perdue !

BARTHOLO. Que diable aussi, l'on tient ce qu'on tient.   20 [*Il quitte le balcon.*]

ROSINE *regarde en dedans et fait signe dans la rue.* St, st [*Le comte paraît.*] ; ramassez vite et sauvez-vous. [*Le comte ne fait qu'un saut, ramasse le papier et rentre.**]

BARTHOLO, *sort de la maison et cherche.* Où donc est-il ? Je ne vois rien.

ROSINE. Sous le balcon, au pied du mur.

BARTHOLO. Vous me donnez là une jolie commission ! Il est donc passé quelqu'un ?

ROSINE. Je n'ai vu personne.   30

BARTHOLO, *à lui-même.* Et moi qui ai la bonté de chercher ...! Bartholo, vous n'êtes qu'un sot, mon ami : ceci doit vous apprendre à ne jamais ouvrir de jalousies sur la rue. [*Il rentre.*]

ROSINE, *toujours au balcon.* Mon excuse est dans mon

malheur * : seule, enfermée, en butte à la persécution d'un homme odieux, est-ce un crime de tenter à sortir d'esclavage ?

BARTHOLO, *paraissant au balcon.* Rentrez, signora * ; c'est ma faute si vous avez perdu votre chanson ; mais ce malheur ne vous arrivera plus, je vous jure. [*Il ferme la jalousie à la clef.**]

SCÈNE IV

Le comte, Figaro

Ils entrent avec précaution.

LE COMTE. A présent qu'ils se sont retirés, examinons cette chanson dans laquelle un mystère est sûrement renfermé. C'est un billet !

FIGARO. Il demandait ce que c'est que *la Précaution inutile !*

LE COMTE *lit vivement.* "Votre empressement excite ma curiosité : sitôt que mon tuteur sera sorti, chantez indifféremment, sur l'air connu de ces couplets, quelque chose qui m'apprenne enfin le nom, l'état et les intentions de celui qui paraît s'attacher si obstinément à l'infortunée Rosine."

FIGARO, *contrefaisant la voix de Rosine.* Ma chanson, ma chanson est tombée ; courez, courez donc ; [*Il rit.*] ah, ah, ah ! Oh ! ces femmes ! voulez-vous donner de l'adresse à la plus ingénue ? enfermez-la.

LE COMTE. Ma chère Rosine !

FIGARO. Monseigneur, je ne suis plus en peine des motifs de votre mascarade * ; vous faites ici l'amour en perspective.

LE COMTE. Te voilà instruit ; mais si tu jases...

FIGARO. Moi, jaser ! Je n'emploierai point pour vous rassurer les grandes phrases d'honneur et de dévouement dont on abuse à la journée * ; je n'ai qu'un mot : mon

intérêt vous répond de moi ; pesez tout à cette balance,
et...

LE COMTE. Fort bien.   Apprends donc que le hasard
m'a fait rencontrer au Prado,* il y a six mois, une jeune
personne d'une beauté...! Tu viens de la voir.   Je l'ai fait
chercher en vain par tout Madrid.   Ce n'est que depuis
peu de jours que j'ai découvert qu'elle s'appelle Rosine,
est d'un sang noble, orpheline, et mariée à un vieux médecin
de cette ville, nommé Bartholo.

FIGARO. Joli oiseau, ma foi ! difficile à dénicher !   Mais 10
qui vous a dit qu'elle était femme du docteur ?

LE COMTE. Tout le monde.

FIGARO. C'est une histoire qu'il a forgée en arrivant de
Madrid, pour donner le change * aux galants et les écarter ;
elle n'est encore que sa pupille, mais bientôt...

LE COMTE, *vivement*. Jamais !... Ah! quelle nouvelle !
J'étais résolu de tout oser * pour lui présenter mes regrets,
et je la trouve libre ! Il n'y a pas un moment à perdre ; il
faut m'en faire aimer, et l'arracher à l'indigne engagement
qu'on lui destine.   Tu connais donc ce tuteur ?   20

FIGARO. Comme ma mère.*

LE COMTE. Quel homme est-ce ?

FIGARO, *vivement*. C'est un beau gros, court, jeune
vieillard, gris pommelé, rusé, rasé, blasé, qui guette, et
furette, et gronde, et geint tout à la fois.

LE COMTE, *impatienté*. Eh ! je l'ai vu.   Son caractère ?

FIGARO. Brutal, avare, amoureux et jaloux à l'excès de
sa pupille, qui le hait à la mort.

LE COMTE. Ainsi, ses moyens de plaire sont...

FIGARO. Nuls.   30

LE COMTE. Tant mieux.   Sa probité ?

FIGARO. Tout juste autant qu'il en faut pour n'être
point pendu.

LE COMTE. Tant mieux.   Punir un fripon en se rendant
heureux...

FIGARO. C'est faire à la fois le bien public et particulier : chef-d'œuvre de morale, en vérité, monseigneur !

LE COMTE. Tu dis que la crainte des galants lui fait fermer sa porte ?

FIGARO. A tout le monde : s'il pouvait la calfeutrer...

LE COMTE. Ah ! diable, tant pis. Aurais-tu de l'accès chez lui ?

FIGARO. Si j'en ai ! * *Primo*, la maison que j'occupe appartient au docteur, qui m'y loge *gratis*.

LE COMTE. Ah ! ah !   10

FIGARO. Oui. Et moi, en reconnaissance, je lui promets dix pistoles d'or * par an, *gratis* aussi.

LE COMTE, *impatienté*. Tu es son locataire ?

FIGARO. De plus, son barbier, son chirurgien, son apothicaire ; il ne se donne pas dans sa maison un coup de rasoir, de lancette ou de piston,* qui ne soit de la main de votre serviteur.

LE COMTE *l'embrasse*. Ah ! Figaro, mon ami, tu seras mon ange, mon libérateur, mon dieu tutélaire.

FIGARO. Peste ! comme l'utilité vous a bientôt rap-   20
proché les distances ! Parlez-moi des gens passionnés !

LE COMTE. Heureux Figaro, tu vas voir ma Rosine ! tu vas la voir ! Conçois-tu ton bonheur ?

FIGARO. C'est bien là un propos d'amant ! Est-ce que je l'adore, moi ? Puissiez-vous prendre ma place !

LE COMTE. Ah ! si l'on pouvait écarter tous les surveillants !

FIGARO. C'est à quoi je rêvais.

LE COMTE. Pour douze heures seulement !

FIGARO. En occupant les gens de leur propre intérêt,   30
on les empêche de nuire à l'intérêt d'autrui.

LE COMTE. Sans doute. Eh bien ?

FIGARO, *rêvant*. Je cherche dans ma tête si la pharmacie ne fournirait pas quelques petits moyens innocents...

LE COMTE. Scélérat !

FIGARO. Est-ce que je veux leur nuire ? Ils ont tous besoin de mon ministère. Il ne s'agit que de les traiter * ensemble.

LE COMTE. Mais ce médecin * peut prendre un soupçon.

FIGARO. Il faut marcher si vite, que le soupçon n'ait pas le temps de naître. Il me vient une idée : le régiment de Royal-Infant * arrive en cette ville.

LE COMTE. Le colonel est de mes amis.

FIGARO. Bon. Présentez-vous chez le docteur en habit de cavalier, avec un billet de logement ; il faudra bien qu'il 10 vous héberge ; et moi, je me charge du reste.

LE COMTE. Excellent !

FIGARO. Il ne serait même pas mal que vous eussiez l'air entre deux vins...*

LE COMTE. A quoi bon ?

FIGARO. Et le mener un peu lestement * sous cette apparence déraisonnable.

LE COMTE. A quoi bon ?

FIGARO. Pour qu'il ne prenne aucun ombrage, et vous croie plus pressé de dormir que d'intriguer chez lui. 20

LE COMTE. Supérieurement vu ! Mais que n'y vas-tu,* toi ?

FIGARO. Ah ! oui, moi ! Nous serons bien heureux s'il ne vous reconnaît pas, vous qu'il n'a jamais vu. Et comment vous introduire après ?

LE COMTE. Tu as raison.

FIGARO. C'est que vous ne pourrez peut-être pas * soutenir ce personnage difficile. Cavalier... pris de vin...

LE COMTE. Tu te moques de moi. [*Prenant un ton ivre.*] N'est-ce point ici la maison du docteur Bartholo, mon ami ? 30

FIGARO. Pas mal, en vérité ; vos jambes seulement un peu plus avinées. [*D'un ton plus ivre.*] N'est-ce pas ici la maison...?

LE COMTE. Fi donc ! tu as l'ivresse du peuple.

FIGARO. C'est la bonne ; c'est celle du plaisir.

LE COMTE. La porte s'ouvre.

FIGARO. C'est notre homme : éloignons-nous jusqu'à ce qu'il soit parti.

SCÈNE V

Le comte et Figaro, cachés ; Bartholo

BARTHOLO *sort en parlant à la maison.* Je reviens à l'instant ; qu'on ne laisse entrer personne.   Quelle sottise à moi * d'être descendu !   Dès qu'elle m'en priait, je devais bien m'en douter...   Et Bazile qui ne vient pas !   Il devait tout arranger pour que mon mariage se fît secrètement demain : et point de nouvelles !   Allons voir ce qui peut l'arrêter.   10

SCÈNE VI

Le comte, Figaro

LE COMTE. Qu'ai-je entendu ?   Demain il épouse Rosine en secret !

FIGARO. Monseigneur, la difficulté de réussir ne fait qu'ajouter à la nécessité d'entreprendre.

LE COMTE. Quel est donc ce Bazile qui se mêle de son mariage ?

FIGARO. Un pauvre hère qui montre la musique à sa pupille, infatué de son art, friponneau,* besogneux, à genoux devant un écu, et dont il sera facile de venir à bout,* monseigneur... [*Regardant à la jalousie.*]   La v'là, la v'là.   20

LE COMTE. Qui donc ?

FIGARO. Derrière sa jalousie, la voilà, la voilà.   Ne regardez pas, ne regardez donc pas !

LE COMTE. Pourquoi ?

FIGARO. Ne vous écrit-elle pas : *Chantez indifféremment ?* c'est-à-dire : chantez comme si vous chantiez... seulement pour chanter.   Oh !   la v'là, la v'là.

Le comte. Puisque j'ai commencé à l'intéresser sans être connu d'elle, ne quittons point le nom de Lindor que j'ai pris ; mon triomphe en aura plus de charmes. [*Il déploie le papier que Rosine a jeté.*] Mais comment chanter sur cette musique ? Je ne sais pas faire de vers, moi.

Figaro. Tout ce qui vous viendra, monseigneur, est excellent : en amour, le cœur n'est pas difficile sur les productions de l'esprit... Et prenez ma guitare.

Le comte. Que veux-tu que j'en fasse ? j'en joue si mal !

Figaro. Est-ce qu'un homme comme vous ignore quelque chose ? * Avec le dos de la main ; from, from, from... Chanter sans guitare à Séville ! vous seriez bientôt reconnu, ma foi, bientôt dépisté. [*Figaro se colle au mur, sous le balcon.*]

Le comte *chante en se promenant, et s'accompagnant sur sa guitare.*

PREMIER COUPLET

Vous l'ordonnez, je me ferai connaître,
Plus inconnu, j'osais vous adorer ;
En me nommant, que pourrais-je espérer ?
N'importe, il faut obéir à son maître.

Figaro, *bas.* Fort bien, parbleu ! Courage, monseigneur !

Le comte.

DEUXIÈME COUPLET

Je suis Lindor, ma naissance est commune ;
Mes vœux sont ceux d'un simple bachelier * ;
Que n'ai-je, hélas ! d'un brillant chevalier
A vous offrir le rang et la fortune !

Figaro. Et comment, diable ! Je ne ferais pas mieux, moi qui m'en pique.

Le comte.

TROISIÈME COUPLET .

Tous les matins, ici, d'une voix tendre,
Je chanterai mon amour sans espoir ;
Je bornerai mes plaisirs à vous voir ;
Et puissiez-vous en trouver à m'entendre !

FIGARO. Oh ! ma foi, pour celui-ci !...* [*Il s'approche et baise le bas de l'habit de son maître.*]

LE COMTE. Figaro ?

FIGARO. Excellence ?

LE COMTE. Crois-tu que l'on m'ait entendu ?

ROSINE, *en dedans, chante.*

(AIR du *Maître en droit.*)
Tout me dit que Lindor est charmant,
Que je dois l'aimer constamment...

[*On entend une croisée qui se ferme avec bruit.*]   10

FIGARO. Croyez-vous qu'on vous ait entendu, cette fois ?

LE COMTE. Elle a fermé sa fenêtre ; quelqu'un apparemment est entré chez elle.

FIGARO. Ah ! la pauvre petite ! comme elle tremble en chantant ! Elle est prise,* monseigneur.

LE COMTE. Elle se sert du moyen qu'elle-même a indiqué. *Tout me dit que Lindor est charmant.* Que de grâces ! que d'esprit !

FIGARO. Que de ruse ! que d'amour !   20

LE COMTE. Crois-tu qu'elle se donne * à moi, Figaro ?

FIGARO. Elle passera plutôt à travers cette jalousie que d'y manquer.

LE COMTE. C'en est fait, je suis à ma Rosine... pour la vie.

FIGARO. Vous oubliez, monseigneur, qu'elle ne vous entend plus.

LE COMTE. Monsieur Figaro ! je n'ai qu'un mot à vous dire : elle sera ma femme ; et si vous servez bien mes projets en lui cachant mon nom... Tu m'entends, tu me   30 connais...

FIGARO. Je me rends. Allons, Figaro, vole à la fortune, mon fils.

LE COMTE. Retirons-nous, crainte de * nous rendre suspects.

FIGARO, *vivement.* Moi, j'entre ici, où, par la force de mon art, je vais, d'un seul coup de baguette, endormir la vigilance, éveiller l'amour, égarer la jalousie, fourvoyer l'intrigue, et renverser tous les obstacles.   Vous, monseigneur, chez moi * l'habit de soldat, le billet de logement, et de l'or dans vos poches.

LE COMTE. Pour qui, de l'or ?

FIGARO, *vivement.* De l'or, mon dieu, de l'or : c'est le nerf de l'intrigue.*

LE COMTE. Ne te fâche pas.   Figaro, j'en prendrai 10 beaucoup.

FIGARO, *s'en allant.* Je vous rejoins dans peu.*

LE COMTE. Figaro ?

FIGARO. Qu'est-ce que c'est ?

LE COMTE. Et ta guitare ?

FIGARO, *revient.* J'oublie ma guitare, moi ! je suis donc fou !   [*Il s'en va.*]

LE COMTE. Et ta demeure, étourdi ?

FIGARO, *revient.* Ah ! réellement, je suis frappé ! *—Ma boutique à quatre pas d'ici, peinte en bleu, vitrage en 20 plomb, trois palettes en l'air,* l'œil dans la main,* *Consilio manuque*, FIGARO.   [*Il s'enfuit.*]

ACTE II

Le théâtre représente l'appartement de Rosine. La croisée dans le fond du théâtre est fermée par une jalousie grillée

SCÈNE PREMIÈRE

Rosine seule, un bougeoir à la main. Elle prend du papier sur la table et se met à écrire

Marceline * est malade ; tous les gens sont occupés ; et personne ne me voit écrire. Je ne sais si ces murs ont des yeux et des oreilles, ou si mon argus * a un génie malfaisant qui l'instruit à point nommé * ; mais je ne puis dire un mot ni faire un pas, dont il ne devine sur-le-champ l'intention... Ah ! Lindor ! [*Elle cachette la lettre.*] Fermons toujours ma lettre, quoique j'ignore quand et comment je pourrai la lui faire tenir. Je l'ai vu à travers ma jalousie parler longtemps au barbier Figaro. C'est un bonhomme qui m'a montré quelquefois de la pitié : si je pouvais l'en- 10 tretenir un moment !

SCÈNE II

Rosine, Figaro

ROSINE, *surprise.* Ah ! monsieur Figaro, que je suis aise de vous voir !

FIGARO. Votre santé, madame ? *

ROSINE. Pas trop bonne, monsieur Figaro. L'ennui me tue.

FIGARO. Je le crois ; il n'engraisse que les sots.

ROSINE. Avec qui parliez-vous donc là-bas si vivement ? Je n'entendais pas : mais...

FIGARO. Avec un jeune bachelier de mes parents, de la plus grande espérance ; plein d'esprit, de sentiments, de talents, et d'une figure fort revenante.

ROSINE. Oh ! tout à fait bien, je vous assure ! Il se nomme ?...

FIGARO. Lindor.   Il n'a rien : mais s'il n'eût pas quitté * brusquement Madrid, il pouvait y trouver quelque bonne place.

ROSINE, *étourdiment.* Il en trouvera, monsieur Figaro ; il en trouvera. Un jeune homme tel que vous le dépeignez 10 n'est pas fait pour rester inconnu.

FIGARO, *à part.* Fort bien. [*Haut.*]   Mais il a un grand défaut, qui nuira toujours à son avancement.

ROSINE. Un défaut, monsieur Figaro !   Un défaut ! en êtes-vous sûr ?

FIGARO. Il est amoureux.

ROSINE. Il est amoureux !   et vous appelez cela un défaut ?

FIGARO. A la vérité, ce n'en est un que relativement à sa mauvaise fortune.   20

ROSINE. Ah ! que le sort est injuste !   Et nomme-t-il la personne qu'il aime ?   Je suis d'une curiosité...

FIGARO. Vous êtes la dernière, madame, à qui je voudrais faire une confidence de cette nature.

ROSINE, *vivement.* Pourquoi, monsieur Figaro ?   Je suis discrète.   Ce jeune homme vous appartient, il m'intéresse infiniment, ... dites donc.

FIGARO, *la regardant finement.* Figurez-vous la plus jolie petite mignonne, douce, tendre, accorte et fraîche, agaçant l'appétit ; pied furtif, taille adroite, élancée, bras dodus, 30 bouche rosée, et des mains ! des joues ! des dents ! des yeux !...

ROSINE. Qui reste en cette ville ?

FIGARO. En ce quartier.

ROSINE. Dans cette rue peut-être ?

FIGARO. A deux pas de moi.

ROSINE. Ah ! que c'est charmant... pour monsieur votre parent.   Et cette personne est...?

FIGARO. Je ne l'ai pas nommée ?

ROSINE, *vivement*. C'est la seule chose que vous ayez oubliée, monsieur Figaro.   Dites donc, dites donc vite ; si l'on rentrait,* je ne pourrais plus savoir...

FIGARO. Vous le voulez absolument, madame ?   Eh bien ! cette personne est... la pupille de votre tuteur.

ROSINE. La pupille...?

FIGARO. Du docteur Bartholo ; oui, madame.

ROSINE, *avec émotion*. Ah ! monsieur Figaro !...   Je ne vous crois pas, je vous assure.

FIGARO. Et c'est ce qu'il brûle de venir vous persuader lui-même.

ROSINE. Vous me faites trembler, monsieur Figaro.

FIGARO. Fi donc, trembler ! mauvais calcul, madame. Quand on cède à la peur du mal, on ressent déjà le mal de la peur.   D'ailleurs, je viens de vous débarrasser de tous vos surveillants jusqu'à demain.*

ROSINE. S'il m'aime, il doit me le prouver en restant absolument tranquille.

FIGARO. Eh ! madame ! amour et repos peuvent-ils habiter en même cœur ? La pauvre jeunesse est si malheureuse aujourd'hui, qu'elle n'a que ce terrible choix : amour sans repos, ou repos sans amour.

ROSINE, *baissant les yeux*. Repos sans amour... paraît...

FIGARO. Ah ! bien languissant. Il semble, en effet, qu'amour sans repos se présente de meilleure grâce : et pour moi, si j'étais femme...

ROSINE, *avec embarras*. Il est certain qu'une jeune personne ne peut empêcher un honnête homme de l'estimer.*

FIGARO. Aussi mon parent vous estime-t-il infiniment.

ROSINE. Mais s'il allait faire quelque imprudence, monsieur Figaro, il nous perdrait.

Figaro, *à part.* Il nous perdrait ! [*Haut.*] Si vous le lui défendiez expressément par une petite lettre... Une lettre a bien du pouvoir.

Rosine *lui donne la lettre qu'elle vient d'écrire.* Je n'ai pas le temps de recommencer celle-ci ; mais en la lui donnant, dites-lui... dites-lui bien... [*Elle écoute.*]

Figaro. Personne, madame.

Rosine. Que c'est par pure amitié tout ce que je fais.

Figaro. Cela parle de soi.* Tudieu ! * l'amour a bien une autre allure !   10

Rosine. Que par pure amitié, entendez-vous ? Je crains seulement que, rebuté par les difficultés...

Figaro. Oui, quelque feu follet.* Souvenez-vous, madame, que le vent qui éteint une lumière allume un brasier, et que nous sommes ce brasier-là. D'en parler seulement,* il exhale un tel feu qu'il m'a presque enfiévré * de sa passion, moi qui n'y ai que voir ! *

Rosine. Dieux ! j'entends mon tuteur. S'il vous trouvait ici... Passez par le cabinet du clavecin, et descendez le plus doucement que vous pourrez.   20

Figaro. Soyez tranquille.* [*A part, montrant la lettre.*] Voici qui vaut mieux que toutes mes observations. [*Il entre dans le cabinet.*]

SCÈNE III

Rosine, seule

Je meurs d'inquiétude jusqu'à ce qu'il soit dehors... Que je l'aime, ce bon Figaro ! c'est un bien honnête homme, un bon parent ! Ah ! voilà mon tyran ; reprenons mon ouvrage. [*Elle souffle la bougie, s'assied, et prend une broderie au tambour.*]

SCÈNE IV

Bartholo, Rosine

BARTHOLO, *en colère.* Ah ! malédiction ! l'enragé, le scélérat corsaire de Figaro !   Là, peut-on sortir un moment de chez soi sans être sûr en rentrant…?

ROSINE. Qui vous met donc si fort en colère, monsieur ?

BARTHOLO. Ce damné barbier qui vient d'écloper toute ma maison en un tour de main : il donne un narcotique à L'Éveillé, un sternutatoire à La Jeunesse ; il saigne au pied Marceline ; il n'y a pas jusqu'à ma mule…*   Sur les yeux d'une pauvre bête aveugle, un cataplasme !   Parce qu'il me doit cent écus, il se presse de faire des mémoires. Ah ! qu'il les apporte !…   Et personne à l'antichambre ! on arrive à cet appartement comme à la place d'armes.*

ROSINE. Et qui peut y pénétrer que vous, monsieur ? *

BARTHOLO. J'aime mieux craindre sans sujet que de m'exposer sans précaution.*   Tout est plein de gens entre-prenants, d'audacieux… N'a-t-on pas, ce matin encore, ramassé lestement votre chanson pendant que j'allais la chercher ? Oh ! je…

ROSINE. C'est bien mettre à plaisir de l'importance à tout !   Le vent peut avoir éloigné ce papier, le premier venu ; que sais-je ?

BARTHOLO. Le vent, le premier venu !… Il n'y a point de vent, madame, point de premier venu dans le monde ; et c'est toujours quelqu'un posté là exprès qui ramasse les papiers qu'une femme a l'air de laisser tomber par mégarde.

ROSINE. A l'air, monsieur ?

BARTHOLO. Oui, madame, a l'air.

ROSINE, *à part.* Oh ! le méchant vieillard !

BARTHOLO. Mais tout cela n'arrivera plus ; car je vais faire sceller cette grille.

Rosine. Faites mieux ; murez les fenêtres tout d'un coup : d'une prison à un cachot, la différence est si peu de chose !

Bartholo. Pour celles qui donnent sur la rue, ce ne serait peut-être pas si mal… Ce barbier n'est pas entré chez vous, au moins ?

Rosine. Vous donne-t-il aussi de l'inquiétude ?

Bartholo. Tout comme un autre.

Rosine. Que vos répliques sont honnêtes ! *

Bartholo. Ah ! fiez-vous à tout le monde, et vous ₁₀ aurez bientôt à la maison une bonne femme pour vous tromper, de bons amis pour vous la souffler,* et de bons valets pour les y aider.

Rosine. Quoi ! vous n'accordez pas même qu'on ait des principes contre la séduction de M. Figaro ?

Bartholo. Qui diable entend quelque chose à la bizarrerie des femmes, et combien j'en ai vu de ces vertus à principes… !

Rosine, *en colère*. Mais, monsieur, s'il suffit d'être homme pour nous plaire, pourquoi donc me déplaisez- ₂₀ vous si fort ?

Bartholo, *stupéfait*. Pourquoi ?… pourquoi ?… Vous ne répondez pas à ma question sur ce barbier.

Rosine, *outrée*. Eh bien oui, cet homme est entré chez moi ; je l'ai vu, je lui ai parlé. Je ne vous cache même pas que je l'ai trouvé fort aimable : et puissiez-vous en mourir de dépit ! [*Elle sort.*]

SCÈNE V

Bartholo, seul

Oh ! les juifs,* les chiens de valets ! La Jeunesse ! L'Éveillé ! L'Éveillé maudit !

SCÈNE VI

Bartholo, L'Éveillé

L'ÉVEILLÉ *arrive en bâillant, tout endormi.** Aah, aah, ah, ah...

BARTHOLO. Où étais-tu, peste d'étourdi, quand ce barbier est entré ici ?

L'ÉVEILLÉ. Monsieur j'étais... ah, aah, ah...

BARTHOLO. A machiner quelque espièglerie, sans doute ? Et tu ne l'as pas vu ?

L'ÉVEILLÉ. Sûrement je l'ai vu, puisqu'il m'a trouvé tout malade, à ce qu'il dit ; et faut bien que ça soit vrai, car j'ai commencé à me douloir * dans tous les membres, 10 rien qu'en l'en-entendant par... Ah, ah, aah...

BARTHOLO *le contrefait*. Rien qu'en l'en-entendant !... Où est ce vaurien de La Jeunesse ? Droguer ce petit garçon * sans mon ordonnance ! * Il y a quelque friponnerie là-dessous.

SCÈNE VII

Les acteurs précédents, La Jeunesse

[*La Jeunesse arrive en vieillard avec une canne en béquille ; il éternue plusieurs fois.*]

L'ÉVEILLÉ, *toujours bâillant*. La Jeunesse ?

BARTHOLO. Tu éternueras dimanche.

LA JEUNESSE. Voilà plus de cinquante... cinquante fois... dans un moment ! [*Il éternue.*] Je suis brisé.

BARTHOLO. Comment ! je vous demande à tous les 20 deux s'il est entré quelqu'un chez Rosine, et vous ne me dites pas que ce barbier...

L'ÉVEILLÉ, *continuant de bâiller*. Est-ce que c'est quelqu'un donc, M. Figaro ? Aah, ah...

BARTHOLO. Je parie que le rusé s'entend avec lui.

L'ÉVEILLÉ, *pleurant comme un sot.* Moi... Je m'entends !...

LA JEUNESSE, *éternuant.* Eh mais, monsieur, y a-t-il... y a-t-il de la justice ?...

BARTHOLO. De la justice ! C'est bon entre vous autres misérables, la justice ! Je suis votre maître, moi, pour avoir toujours raison.

LA JEUNESSE, *éternuant.* Mais, pardi, quand une chose est vraie...   10

BARTHOLO. Quand une chose est vraie ! Si je ne veux pas qu'elle soit vraie, je prétends bien qu'elle ne soit pas vraie. Il n'y aurait qu'à permettre * à tous ces faquins-là d'avoir raison, vous verriez bientôt ce que deviendrait l'autorité.

LA JEUNESSE, *éternuant.* J'aime autant recevoir mon congé. Un service terrible, et toujours un train d'enfer ! *

L'ÉVEILLÉ, *pleurant.* Un pauvre homme de bien est traité comme un misérable.

BARTHOLO. Sors donc, pauvre homme de bien ! [*Il les* 20 *contrefait.*] Et t'chi et t'cha ; l'un m'éternue au nez, l'autre m'y bâille.

LA JEUNESSE. Ah, monsieur, je vous jure que, sans mademoiselle, il n'y aurait... il n'y aurait pas moyen de rester dans la maison. [*Il sort en éternuant.*]

BARTHOLO. Dans quel état ce Figaro les a mis tous ! Je vois ce que c'est : le maraud voudrait me payer mes cent écus * sans bourse délier...

SCÈNE VIII

*Bartholo, don Bazile ; Figaro
caché dans le cabinet, paraît de temps en temps, et les écoute*

BARTHOLO, *continue.* Ah ! don Bazile, vous veniez donner à Rosine sa leçon de musique ?   30

BAZILE. C'est ce qui presse le moins.

BARTHOLO. J'ai passé chez vous sans vous trouver.

BAZILE. J'étais sorti pour vos affaires. Apprenez une nouvelle assez fâcheuse.

BARTHOLO. Pour vous ?

BAZILE. Non, pour vous. Le comte Almaviva est en cette ville.

BARTHOLO. Parlez bas. Celui qui faisait chercher Rosine dans tout Madrid ?

BAZILE. Il loge à la grande place, et sort tous les jours 10 déguisé.

BARTHOLO. Il n'en faut point douter, cela me regarde. Et que faire ?

BAZILE. Si c'était un particulier,* on viendrait à bout * de l'écarter.

BARTHOLO. Oui, en s'embusquant le soir, armé, cuirassé...

BAZILE. *Bone Deus!* se compromettre ! Susciter une méchante affaire, à la bonne heure ; et pendant la fermentation, calomnier à dire d'experts,* *concedo.* * 20

BARTHOLO. Singulier moyen de se défaire d'un homme !

BAZILE. La calomnie,* monsieur ! Vous ne savez guère ce que vous dédaignez ; j'ai vu les plus honnêtes gens près d'en être accablés. Croyez qu'il n'y a pas de plate méchanceté, pas d'horreurs, pas de conte absurde, qu'on ne fasse adopter aux oisifs d'une grande ville en s'y prenant bien : et nous avons ici des gens d'une adresse !...* D'abord un léger bruit, rasant le sol comme hirondelle avant l'orage, *pianissimo* * murmure et file, et sème en courant le trait 30 empoisonné. Telle bouche le recueille, et *piano, piano,* vous le glisse en l'oreille adroitement. Le mal est fait ; il germe, il rampe, il chemine, et *rinforzando* de bouche en bouche il va le diable * ; puis tout à coup, ne sais comment,* vous voyez calomnie se dresser, siffler, s'enfler,

grandir à vue d'œil.   Elle s'élance, étend son vol, tour-
billonne, enveloppe, arrache, entraîne, éclate et tonne, **et**
devient, grâce au ciel,* un cri général, un *crescendo* public,
un *chorus* universel de haine et de proscription.   Qui diable
y résisterait ?

BARTHOLO. Mais quel radotage me faites-vous donc là,
Bazile ?   Et quel rapport ce *piano-crescendo* peut-il avoir à
ma situation ?

BAZILE. Comment, quel rapport ?   Ce qu'on fait partout pour écarter son ennemi, il faut le faire ici pour empê-   10
cher le vôtre d'approcher.

BARTHOLO. D'approcher ?   Je prétends bien épouser
Rosine avant qu'elle apprenne seulement que ce comte
existe.*

BAZILE. En ce cas, vous n'avez pas un instant à perdre.

BARTHOLO. Et à qui tient-il,* Bazile ?   Je vous ai
chargé de tous les détails de cette affaire.

BAZILE. Oui, mais vous avez lésiné sur les frais ;   et
dans l'harmonie du bon ordre, un mariage inégal,* un
jugement inique, un passe-droit évident, sont des dis-   20
sonances * qu'on doit toujours préparer et sauver par
l'accord parfait de l'or.

BARTHOLO, *lui donnant de l'argent.* Il faut en passer par
où vous voulez ;   mais finissons.

BAZILE. Cela s'appelle parler.   Demain, tout sera ter-
miné : c'est à vous d'empêcher que personne, aujourd'hui,
ne puisse instruire la pupille.

BARTHOLO. Fiez-vous-en à moi.   Viendrez-vous ce soir,
Bazile ?

BAZILE. N'y comptez pas.   Votre mariage seul m'occu-   30
pera toute la journée ;   n'y comptez pas.

BARTHOLO *l'accompagne.* Serviteur.*

BAZILE. Restez, docteur, restez donc.

BARTHOLO. Non pas.   Je veux fermer sur vous la porte
de la rue.

SCÈNE IX

Figaro, seul, sortant du cabinet

Oh ! la bonne précaution ! Ferme, ferme la porte de la
rue ; et moi je vais la rouvrir au comte en sortant. C'est
un grand maraud que ce Bazile ! heureusement il est encore plus sot.* Il faut un état, une famille, un nom, un
rang, de la consistance enfin, pour faire sensation dans le
monde en calomniant. Mais un Bazile ! il médirait, qu'on
ne le croirait pas.*

SCÈNE X

Rosine, accourant ; Figaro

Rosine. Quoi ! vous êtes encore là, monsieur Figaro ?

Figaro. Très heureusement pour vous, mademoiselle.
Votre tuteur et votre maître à chanter, se croyant seuls ici, 10
viennent de parler à cœur ouvert...

Rosine. Et vous les avez écoutés, monsieur Figaro ?
Mais savez-vous que c'est fort mal !

Figaro. D'écouter ? C'est pourtant ce qu'il y a de
mieux pour bien entendre. Apprenez que votre tuteur se
dispose à vous épouser demain.

Rosine. Ah ! grands dieux !

Figaro. Ne craignez rien ; nous lui donnerons tant
d'ouvrage, qu'il n'aura pas le temps de songer à celui-là.

Rosine. Le voici qui revient ; sortez donc par le petit 20
escalier.* Vous me faites mourir de frayeur.

[Figaro s'enfuit.]

SCÈNE XI

Bartholo, Rosine

Rosine. Vous étiez ici avec quelqu'un, monsieur ?

Bartholo. Don Bazile que j'ai reconduit, et pour

cause.* Vous eussiez mieux aimé que c'eût été M. Figaro ?

ROSINE. Cela m'est fort égal, je vous assure.

BARTHOLO. Je voudrais bien savoir ce que ce barbier avait de si pressé à vous dire ?

ROSINE. Faut-il parler sérieusement ? Il m'a rendu compte de l'état de Marceline, qui même n'est pas trop bien, à ce qu'il dit.

BARTHOLO. Vous rendre compte ! Je vais parier qu'il était chargé de vous remettre quelque lettre.   10

ROSINE. Et de qui, s'il vous plaît ?

BARTHOLO. Oh ! de qui ! De quelqu'un que les femmes ne nomment jamais. Que sais-je, moi ? Peut-être la réponse au papier de la fenêtre.

ROSINE, *à part.* Il n'en a pas manqué une seule.* [*Haut.*] Vous mériteriez bien que cela fût.

BARTHOLO *regarde les mains de Rosine.* Cela est. Vous avez écrit.

ROSINE, *avec embarras.* Il serait assez plaisant que vous eussiez le projet de m'en faire convenir.   20

BARTHOLO, *lui prenant la main droite.* Moi ! point du tout ; mais votre doigt encore taché d'encre ! Hein ? rusée signora !

ROSINE, *à part.* Maudit homme !

BARTHOLO, *lui tenant toujours la main.* Une femme se croit bien en sûreté, parce qu'elle est seule.

ROSINE. Ah ! sans doute... La belle preuve !... Finissez donc, monsieur, vous me tordez le bras. Je me suis brûlée en chiffonnant * autour de cette bougie ; et l'on m'a toujours dit qu'il fallait aussitôt tremper dans l'encre :   30 c'est ce que j'ai fait.

BARTHOLO. C'est ce que vous avez fait ? Voyons donc si un second témoin confirmera la déposition du premier. C'est ce cahier de papier où je suis certain qu'il y avait six feuilles ; car je les compte tous les matins, aujourd'hui encore.

ROSINE, *à part.* Oh ! imbécile !...*

BARTHOLO, *comptant.* Trois, quatre, cinq...

ROSINE. La sixième...

BARTHOLO. Je vois bien qu'elle n'y est pas, la sixième.

ROSINE, *baissant les yeux.* La sixième ? Je l'ai employée à faire un cornet pour des bonbons que j'ai envoyés à la petite Figaro.*

BARTHOLO. A la petite Figaro ? Et la plume qui était toute neuve, comment est-elle devenue noire ? Est-ce en écrivant l'adresse de la petite Figaro ? 10

ROSINE. [*A part.*] Cet homme a un instinct de jalousie !... [*Haut.*] Elle m'a servi à retracer une fleur effacée sur la veste que je vous brode au tambour.

BARTHOLO. Que cela est édifiant ! Pour qu'on vous crût, mon enfant, il faudrait ne pas rougir en déguisant coup sur coup la vérité ; mais c'est ce que vous ne savez pas encore.

ROSINE. Eh ! qui ne rougirait pas, monsieur, de voir tirer des conséquences aussi malignes des choses le plus innocemment faites ? 20

BARTHOLO. Certes, j'ai tort. Se brûler le doigt, le tremper dans l'encre, faire des cornets aux bonbons pour la petite Figaro, et dessiner ma veste au tambour ! quoi de plus innocent ? Mais que de mensonges entassés pour cacher un seul fait !... *Je suis seule, on ne me voit point ; je pourrai mentir à mon aise.* Mais le bout du doigt reste noir, la plume est tachée, le papier manque ! On ne saurait penser à tout.* Bien certainement, signora, quand j'irai par la ville, un bon double tour * me répondra de vous.

SCÈNE XII

Le comte, Bartholo, Rosine

LE COMTE, *en uniforme de cavalier, ayant l'air d'être entre* 30 *deux vins, et chantant :* " *Réveillons-la, etc.*" *

BARTHOLO. Mais que nous veut cet homme ?   Un soldat !   Rentrez chez vous, signora.

LE COMTE *chante "Réveillons-la", et s'avance vers Rosine.*
Qui de vous deux, mesdames, se nomme le docteur
Balordo ? *   [*A Rosine, bas.*]   Je suis Lindor.

BARTHOLO. Bartholo !

ROSINE, *à part.* Il parle de Lindor.

LE COMTE. Balordo, Barque à l'eau ; je m'en moque
comme de ça.* Il s'agit seulement de savoir laquelle des
deux... [*A Rosine, lui montrant un papier.*] Prenez cette 10
lettre.

BARTHOLO. Laquelle !   Vous voyez bien que c'est moi !
Laquelle !   Rentrez donc, Rosine ; cet homme paraît avoir
du vin.*

ROSINE. C'est pour cela, monsieur ; vous êtes seul.
Une femme en impose quelquefois.

BARTHOLO. Rentrez, rentrez ; je ne suis pas timide.

SCÈNE XIII

Le comte, Bartholo

LE COMTE. Oh ! je vous ai reconnu d'abord à votre
signalement.

BARTHOLO, *au comte, qui serre la lettre.* Qu'est-ce que 20
c'est donc, que vous cachez là dans votre poche ?

LE COMTE. Je le cache dans ma poche, pour que vous
ne sachiez pas ce que c'est.

BARTHOLO. Mon signalement !   Ces gens-là croient
toujours parler à des soldats.

LE COMTE. Pensez-vous que ce soit une chose si difficile
à faire que votre signalement ?

> (AIR : *Ici sont venus en personne.*)
> Le chef * branlant, le tête chauve,
> Les yeux vérons,* le regard fauve,

> L'air farouche d'un Algonquin,*
> La taille lourde et déjetée,
> L'épaule droite surmontée,
> Le teint grenu * d'un Maroquin,
> Le nez fait comme un baldaquin,
> Le jambe pote * et circonflexe,
> Le ton bourru, la voix perplexe,
> Tous les appétits destructeurs ;
> Enfin la perle des docteurs.

BARTHOLO. Q'est-ce que cela veut dire ? Êtes-vous 10
ici pour m'insulter ? Délogez à l'instant.

LE COMTE. Déloger ! Ah, fi ! que c'est mal parler !
Savez-vous lire, docteur... Barbe à l'eau ?

BARTHOLO. Autre question saugrenue.

LE COMTE. Oh ! que cela ne vous fasse pas de peine ;
car, moi qui suis pour le moins aussi docteur que vous...

BARTHOLO. Comment cela ?

LE COMTE. Est-ce que je ne suis pas le médecin des
chevaux du régiment ? Voilà pourquoi l'on m'a exprès
logé chez un confrère.   20

BARTHOLO. Oser comparer un maréchal !...*

LE COMTE.

(AIR : *Vive le vin.*)

(*Sans chanter.*) {
  Non, docteur, je ne prétends pas
  Que notre art obtienne le pas
  Sur Hippocrate * et sa brigade.
}

(*En chantant.*) {
  Votre savoir, mon camarade,
  Est d'un succès plus général ;
  Car s'il n'emporte point le mal,
  Il emporte au moins le malade.
}

C'est-il poli * ce que je vous dis là ?   30

BARTHOLO. Il vous sied bien, manipuleur * ignorant,
de ravaler ainsi le premier, le plus grand et le plus utile des
arts !

LE COMTE. Utile tout à fait, pour ceux qui l'exercent.

Bartholo. Un art dont le soleil s'honore d'éclairer les succès !

Le comte. Et dont la terre s'empresse de couvrir les bévues.*

Bartholo. On voit bien, malappris, que vous n'êtes habitué de * parler qu'à des chevaux.

Le comte. Parler à des chevaux ! Ah, docteur ! pour un docteur d'esprit... N'est-il pas de notoriété que le maréchal guérit toujours ses malades sans leur parler ; au lieu que le médecin parle beaucoup aux siens...   10

Bartholo. Sans les guérir, n'est-ce pas ?

Le comte. C'est vous qui l'avez dit.

Bartholo. Qui diable envoie ici ce maudit ivrogne ?

Le comte. Je crois que vous me lâchez des épigrammes, l'Amour ! *

Bartholo. Enfin, que voulez-vous, que demandez-vous ?

Le comte, *feignant une grande colère*. Eh bien donc, il s'enflamme ! Ce que je veux ? Est-ce que vous ne le voyez pas ?   20

SCÈNE XIV

Rosine, le comte, Bartholo

Rosine, *accourant*. Monsieur le soldat, ne vous emportez point, de grâce ! [*A Bartholo.*] Parlez-lui doucement, monsieur : un homme qui déraisonne...

Le comte. Vous avez raison ; il déraisonne, lui ; mais nous sommes raisonnables, nous ! Moi poli, et vous jolie... enfin suffit. La vérité, c'est que je ne veux avoir affaire qu'à vous dans la maison.

Rosine. Que puis-je pour votre service, monsieur le soldat ?

Le comte. Une petite bagatelle, mon enfant.   Mais s'il
y a de l'obscurité dans mes phrases...

Rosine. J'en saisirai l'esprit.

Le comte, *lui montrant la lettre.* Non, attachez-vous à
la lettre, à la lettre.   Il s'agit seulement... mais je dis en
tout bien tout honneur, que vous me donniez à coucher ce
soir.

Bartholo. Rien que cela ?

Le comte. Pas davantage.   Lisez le billet doux que
notre maréchal des logis * vous écrit.   10

Bartholo. Voyons. [*Le comte cache la lettre, et lui
donne un autre papier.*] [*Bartholo lit.*]   "Le docteur Bartholo recevra, nourrira, hébergera, couchera..."

Le comte, *appuyant.* Couchera.

Bartholo. " Pour une nuit seulement, le nommé Lindor dit L'Écolier, cavalier du régiment..."

Rosine. C'est lui, c'est lui-même.

Bartholo, *vivement à Rosine.* Qu'est-ce qu'il y a ?

Le comte. Eh bien, ai-je tort à présent, docteur Barbaro ?   20

Bartholo. On dirait que cet homme se fait un malin
plaisir de m'estropier de toutes les manières possibles.
Allez au diable, Barbaro, Barbe à l'eau ! et dites à votre
impertinent maréchal des logis que, depuis mon voyage à
Madrid, je suis exempt de loger des gens de guerre.

Le comte [*à part*]. O ciel ! fâcheux contretemps !

Bartholo. Ah ! ah, notre ami, cela vous contrarie et
vous dégrise un peu !   Mais n'en décampez pas moins à
l'instant.

Le comte [*à part*]. J'ai pensé me trahir.* [*Haut.*] 30
Décamper !   Si vous êtes exempt de gens de guerre, vous
n'êtes pas exempt de politesse, peut-être ?   Décamper !
montrez-moi votre brevet d'exemption ; quoique je ne
sache pas lire, je verrai bientôt.

Bartholo. Qu'à cela ne tienne.*   Il est dans ce bureau.

LE COMTE, *pendant qu'il y va, dit, sans quitter sa place.* Ah
ma belle Rosine !

ROSINE. Quoi !   Lindor, c'est vous ?

LE COMTE. Recevez au moins cette lettre.

ROSINE. Prenez garde, il a les yeux sur nous.

LE COMTE. Tirez votre mouchoir, je la laisserai tomber.
[*Il s'approche.*]

BARTHOLO. Doucement, doucement, seigneur soldat ;
je n'aime point qu'on regarde ma femme de si près.

LE COMTE. Elle est votre femme ?   10

BARTHOLO. Eh quoi donc ?

LE COMTE. Je vous ai pris pour son bisaïeul paternel,
maternel, sempiternel : il y a au moins trois générations
entre elle et vous.

BARTHOLO, *lit un parchemin.* " Sur les bons et fidèles
témoignages qui nous ont été rendus…"

LE COMTE *donne un coup de main sous les parchemins, qui
les envoie au plancher.* Est-ce que j'ai besoin de tout ce
verbiage ?

BARTHOLO. Savez-vous bien, soldat, que si j'appelle 20
mes gens, je vous fais traiter sur-le-champ comme vous le
méritez ?

LE COMTE. Bataille ?   Ah, volontiers, bataille ! c'est
mon métier à moi [*Montrant son pistolet de ceinture*], et voici
de quoi leur jeter de la poudre aux yeux.*   Vous n'avez
peut-être jamais vu de bataille, madame ?

ROSINE. Ni ne veux en voir.*

LE COMTE. Rien n'est pourtant aussi gai que bataille.
Figurez-vous [*Poussant le docteur*] d'abord que l'ennemi est
d'un côté du ravin, et les amis de l'autre.   [*A Rosine, en lui* 30
montrant la lettre.]   Sortez le mouchoir.   [*Il crache à terre.*]
Voilà le ravin, cela s'entend.*   [*Rosine tire son mouchoir ;
le comte laisse tomber sa lettre entre elle et lui.*]

BARTHOLO, *se baissant.* Ah, ah !

LE COMTE *la reprend et dit.* Tenez… moi qui allais vous

apprendre les secrets de mon métier... Une femme bien
discrète, en vérité ! ne voilà-t-il pas un billet doux qu'elle
laisse tomber de sa poche ?

BARTHOLO. Donnez, donnez.

LE COMTE. *Dulciter,** papa ! chacun son affaire. Si une
ordonnance de rhubarbe était tombée de la vôtre ?

ROSINE *avance la main.* Ah ! je sais ce que c'est, monsieur le soldat. [*Elle prend la lettre, qu'elle cache dans la
petite poche de son tablier.*]

BARTHOLO. Sortez-vous enfin ?   10

LE COMTE. Eh bien, je sors. Adieu, docteur ; sans ran-
cune. Un petit compliment, mon cœur * : priez la mort de
m'oublier encore quelques campagnes ; la vie ne m'a
jamais été si chère.

BARTHOLO. Allez toujours.* Si j'avais ce crédit-là sur
la mort...*

LE COMTE. Sur la mort ? N'êtes-vous pas médecin ?
Vous faites tant de choses pour elle, qu'elle n'a rien à vous
refuser. [*Il sort.*]

SCÈNE XV

Bartholo, Rosine

BARTHOLO *le regarde aller.* Il est enfin parti ! [*A part.*]   20
Dissimulons.

ROSINE. Convenez pourtant, monsieur, qu'il est bien
gai, ce jeune soldat ! A travers son ivresse, on voit qu'il
ne manque ni d'esprit, ni d'une certaine éducation.

BARTHOLO. Heureux, m'amour,* d'avoir pu nous en
délivrer ! Mais n'es-tu pas un peu curieuse de lire avec
moi le papier qu'il t'a remis ?

ROSINE. Quel papier ?

BARTHOLO. Celui qu'il a feint de ramasser pour te le
faire accepter.   30

Rosine. Bon ! c'est la lettre de mon cousin l'officier, qui était tombée de ma poche.

Bartholo. J'ai idée, moi, qu'il l'a tirée de la sienne.

Rosine. Je l'ai très bien reconnue.

Bartholo. Qu'est-ce qu'il te coûte d'y regarder ?

Rosine. Je ne sais pas seulement ce que j'en ai fait.

Bartholo, *montrant la pochette.* Tu l'as mise là.

Rosine. Ah, ah, par distraction.

Bartholo. Ah ! sûrement. Tu vas voir que ce sera quelque folie.   10

Rosine, *à part.* Si je ne le mets pas en colère, il n'y aura pas moyen de refuser.

Bartholo. Donne donc, mon cœur.

Rosine. Mais quelle idée avez-vous, en insistant, monsieur ?   Est-ce encore quelque méfiance ?

Bartholo. Mais vous, quelle raison avez-vous de ne pas la montrer ?

Rosine. Je vous répète, monsieur, que ce papier n'est autre que la lettre de mon cousin, que vous m'avez rendue hier toute décachetée ; et puisqu'il en est question, je vous   20 dirai tout net que cette liberté me déplaît excessivement.

Bartholo. Je ne vous entends pas.*

Rosine. Vais-je examiner les papiers qui vous arrivent ? Pourquoi vous donnez-vous les airs * de toucher à * ceux qui me sont adressés ?   Si c'est jalousie, elle m'insulte ; s'il s'agit de l'abus d'une autorité usurpée, j'en suis plus révoltée encore.

Bartholo. Comment, révoltée ! Vous ne m'avez jamais parlé ainsi.

Rosine. Si je me suis modérée jusqu'à ce jour, ce   30 n'était pas pour vous donner le droit de m'offenser impunément.

Bartholo. De quelle offense me parlez-vous ?

Rosine. C'est qu'il est inouï qu'on se permette d'ouvrir les lettres de quelqu'un.

BARTHOLO. De sa femme ?

ROSINE. Je ne la suis pas encore. Mais pourquoi lui donnerait-on la préférence d'une indignité qu'on ne fait à personne ?

BARTHOLO. Vous voulez me faire prendre le change,* et détourner mon attention du billet qui, sans doute, est une missive de quelque amant. Mais je le verrai, je vous assure.

ROSINE. Vous ne le verrez pas. Si vous m'approchez, je m'enfuis de cette maison, et je demande retraite * au   10 premier venu.

BARTHOLO. Qui ne vous recevra point.

ROSINE. C'est ce qu'il faudra voir.

BARTHOLO. Nous ne sommes pas ici en France, où l'on donne toujours raison aux femmes : mais, pour vous en ôter la fantaisie, je vais fermer la porte.

ROSINE, *pendant qu'il y va.* Ah ciel ! que faire ?... Mettons vite à la place la lettre de mon cousin, et donnons-lui beau jeu * à la prendre. [*Elle fait l'échange, et met la lettre du cousin dans sa pochette, de façon qu'elle sorte un peu.*]   20

BARTHOLO, *revenant.* Ah ! j'espère maintenant la voir.

ROSINE. De quel droit, s'il vous plaît ?

BARTHOLO. Du droit le plus universellement reconnu, celui du plus fort.

ROSINE. On me tuera plutôt que de l'obtenir de moi.

BARTHOLO, *frappant du pied.* Madame ! madame !...

ROSINE *tombe sur un fauteuil, et feint de se trouver mal.* Ah ! quelle indignité !...

BARTHOLO. Donnez cette lettre, où craignez ma colère.

ROSINE, *renversée.* Malheureuse Rosine !   30

BARTHOLO. Qu'avez-vous donc ?

ROSINE. Quel avenir affreux !

BARTHOLO. Rosine !

ROSINE. J'étouffe de fureur.

BARTHOLO. Elle se trouve mal.

Rosine. Je m'affaiblis, je meurs.

Bartholo *lui tâte le pouls et dit à part.* Dieux ! la lettre ! Lisons-la sans qu'elle en soit instruite. [*Il continue à lui tâter le pouls, et prend la lettre, qu'il tâche de lire en se tournant un peu.*]

Rosine, *toujours renversée.* Infortunée ! ah !...

Bartholo *lui quitte le bras, et dit à part.* Quelle rage a-t-on d'apprendre ce qu'on craint toujours de savoir !

Rosine. Ah ! pauvre Rosine !

Bartholo. L'usage des odeurs...* produit ces affections spasmodiques. [*Il lit par derrière le fauteuil, en lui tâtant le pouls. Rosine se relève un peu, le regarde finement, fait un geste de tête, et se remet sans parler.*]

Bartholo, *à part.* O ciel ! c'est la lettre de son cousin. Maudite inquiétude ! Comment l'apaiser maintenant ? Qu'elle ignore au moins que je l'ai lue ! [*Il fait semblant de la soutenir, et remet la lettre dans la pochette.*]

Rosine *soupire.* Ah !...

Bartholo. Eh bien ! ce n'est rien, mon enfant ; un petit mouvement de vapeurs, voilà tout ; car ton pouls n'a seulement pas varié. [*Il va prendre un flacon sur la console.*]

Rosine, *à part.* Il a remis la lettre ! fort bien.

Bartholo. Ma chère Rosine, un peu de cette eau spiritueuse ?

Rosine. Je ne veux rien de vous : laissez-moi.

Bartholo. Je conviens que j'ai montré trop de vivacité sur ce billet.*

Rosine. Il s'agit bien du billet ! * C'est votre façon de demander les choses qui est révoltante.

Bartholo, *à genoux.* Pardon : j'ai bientôt senti tous mes torts ; et tu me vois à tes pieds, prêt à les réparer.

Rosine. Oui, pardon ! lorsque vous croyez que cette lettre ne vient pas de mon cousin.

Bartholo. Qu'elle soit d'un autre ou de lui, je ne veux aucun éclaircissement.

ROSINE, *lui présentant la lettre.* Vous voyez qu'avec de bonnes façons, on obtient tout de moi.   Lisez-la.

BARTHOLO. Cet honnête procédé dissiperait mes soupçons, si j'étais assez malheureux pour en conserver.

ROSINE. Lisez-la donc, monsieur.

BARTHOLO *se retire.* A Dieu ne plaise que je te fasse une pareille injure !

ROSINE. Vous me contrariez de la refuser.

BARTHOLO. Reçois en réparation cette marque de ma parfaite confiance.   Je vais voir la pauvre Marceline, que ce 10 Figaro a, je ne sais pourquoi, saignée au pied ; n'y viens-tu pas aussi ?

ROSINE. J'y monterai dans un moment.

BARTHOLO. Puisque la paix est faite, mignonne, donnemoi ta main.   Si tu pouvais m'aimer, ah ! comme tu serais heureuse !

ROSINE, *baissant les yeux.* Si vous pouviez me plaire, ah ! comme je vous aimerais.

BARTHOLO. Je te plairai, je te plairai ; quand je te dis que je te plairai !   [*Il sort.*] 20

SCÈNE XVI

Rosine, le regarde aller

Ah ! Lindor ! Il dit qu'il me plaira !... Lisons cette lettre, qui a manqué de me causer tant de chagrin. [*Elle lit et s'écrie.*] Ha !... j'ai lu trop tard ; il me recommande de tenir une querelle ouverte avec mon tuteur : j'en avais une si bonne, et je l'ai laissée échapper. En recevant la lettre, j'ai senti que je rougissais jusqu'aux yeux. Ah ! mon tuteur a raison : je suis bien loin d'avoir cet usage du monde qui, me dit-il souvent, assure le maintien des femmes en toute occasion ! Mais un homme injuste * parviendrait à faire une rusée de l'innocence même. 30

ACTE III

SCÈNE PREMIÈRE

Bartholo, seul et désolé

Quelle humeur ! quelle humeur ! Elle paraissait apaisée... Là, qu'on me dise * qui diable lui a fourré dans la tête de ne plus vouloir prendre leçon de don Bazile ! Elle sait qu'il se mêle de mon mariage... [*On heurte à la porte.*] Faites tout au monde pour plaire aux femmes ; si vous omettez un seul petit point... je dis un seul... [*On heurte une seconde fois.*] Voyons qui c'est.

SCÈNE II

Bartholo, le comte, en bachelier *

LE COMTE. Que la paix et la joie habitent toujours céans ! *

BARTHOLO, *brusquement.* Jamais souhait ne vint plus à propos. Que voulez-vous ?

LE COMTE. Monsieur, je suis Alonzo, bachelier licencié...

BARTHOLO. Je n'ai pas besoin de précepteur.

LE COMTE. ... élève de don Bazile, organiste du grand couvent, qui a l'honneur de montrer la musique à madame votre...

BARTHOLO. Bazile ! organiste ! qui a l'honneur !... Je le sais ; au fait.*

LE COMTE. [*A part.*] Quel homme ! [*Haut.*] Un mal subit qui le force à garder le lit...

BARTHOLO. Garder le lit ! Bazile ! Il a bien fait d'envoyer ; je vais le voir à l'instant.

LE COMTE. [*A part.*] Oh diable ! [*Haut.*] Quand je
dis le lit, monsieur, c'est... la chambre que j'entends.*

BARTHOLO. Ne fût-il qu'incommodé.   Marchez devant,
je vous suis.

LE COMTE, *embarrassé.* Monsieur, j'étais chargé...
Personne ne peut-il nous entendre ?

BARTHOLO. [*A part.*] C'est quelque fripon.   [*Haut.*]
Eh non, monsieur le mystérieux ! parlez sans vous
troubler, si vous pouvez.

LE COMTE. [*A part.*] Maudit vieillard !   [*Haut.*]   Don   10
Bazile m'avait chargé de vous apprendre...

BARTHOLO. Parlez haut, je suis sourd d'une oreille.

LE COMTE, *élevant la voix.* Ah ! volontiers...   que le
comte Almaviva, qui restait à la grande place...

BARTHOLO, *effrayé.* Parlez bas ;   parlez bas !

LE COMTE, *plus haut.* ... en est délogé ce matin.   Comme
c'est par moi qu'il a su que le comte Almaviva...

BARTHOLO. Bas ;   parlez bas, je vous prie.

LE COMTE, *du même ton.* ... était en cette ville, et que j'ai
découvert que la signora Rosine lui a écrit...   20

BARTHOLO. Lui a écrit ?   Mon cher ami, parlez plus bas,
je vous en conjure !   Tenez, asseyons-nous, et jasons
d'amitié.   Vous avez découvert, dites-vous, que Rosine...

LE COMTE, *fièrement.* Assurément.   Bazile, inquiet pour
vous de cette correspondance, m'avait prié de vous
montrer sa lettre ;   mais la manière dont vous prenez les
choses...

BARTHOLO. Eh mon Dieu ! je les prends bien.   Mais
ne vous est-il donc pas possible de parler plus bas ?

LE COMTE. Vous êtes sourd d'une oreille, avez-vous dit.*   30

BARTHOLO. Pardon, pardon, seigneur Alonzo,* si vous
m'avez trouvé méfiant et dur ;   mais je suis tellement en-
touré d'intrigants, de pièges... ;   et puis votre tournure,
votre âge, votre air...   Pardon, pardon.   Eh bien ! vous
avez la lettre ?

LE COMTE. A la bonne heure sur ce ton, monsieur !
mais je crains qu'on ne soit aux écoutes.

BARTHOLO. Eh ! qui voulez-vous ? tous mes valets sur
les dents ! Rosine enfermée de fureur ! Le diable est
entré chez moi. Je vais encore m'assurer... [*Il va ouvrir
doucement la porte de Rosine.*]

LE COMTE, *à part.* Je me suis enferré de dépit.* Garder
la lettre, à présent ! Il faudra m'enfuir : autant vaudrait
n'être pas venu... La lui montrer !... Si je puis en prévenir Rosine,* la montrer est un coup de maître.   10

BARTHOLO *revient sur la pointe du pied.* Elle est assise
auprès de sa fenêtre, le dos tourné à la porte, occupée à
relire une lettre de son cousin l'officier, que j'avais décachetée... Voyons donc la sienne.

LE COMTE *lui remet la lettre de Rosine.* La voici. [*A part.*]
C'est ma lettre qu'elle relit.

BARTHOLO *lit.* "*Depuis que vous m'avez appris votre nom et
votre état...*" Ah ! la perfide ! c'est bien là sa main.*

LE COMTE, *effrayé.* Parlez donc bas à votre tour.

BARTHOLO. Quelle obligation,* mon cher !...   20

LE COMTE. Quand tout sera fini, si vous croyez m'en
devoir, vous serez le maître.* D'après un travail que fait
actuellement don Bazile avec un homme de loi...

BARTHOLO. Avec un homme de loi, pour mon mariage ?

LE COMTE. Vous aurais-je arrêté* sans cela ? Il m'a
chargé de vous dire que tout peut être prêt pour demain.
Alors, si elle résiste...

BARTHOLO. Elle résistera.

LE COMTE, *veut reprendre la lettre, Bartholo la serre.* Voilà
l'instant où je puis vous servir : nous lui montrerons sa   30
lettre et s'il le faut [*Plus mystérieusement.*] j'irai jusqu'à lui
dire que je la tiens d'une femme à qui le comte l'a sacrifiée.
Vous sentez que le trouble, la honte, le dépit peuvent la
porter sur-le-champ...

BARTHOLO, *riant.* De la calomnie ! Mon cher ami, je

vois bien maintenant que vous venez de la part de Bazile !
Mais pour que ceci n'eût pas l'air concerté, ne serait-il pas
bon qu'elle vous connût d'avance ?

LE COMTE *réprime un grand mouvement de joie.* C'est assez
l'avis de don Bazile.   Mais comment faire ? il est tard...
au peu de temps qui reste...

BARTHOLO. Je dirai que vous venez en sa place.   Ne lui
donnerez-vous pas bien une leçon ? *

LE COMTE. Il n'y a rien que je ne fasse pour vous plaire.
Mais prenez garde que toutes ces histoires de maîtres 10
supposés sont de vieilles finesses, des moyens de comédie.
Si elle va se douter...?

BARTHOLO. Présenté par moi, quelle apparence ?   Vous
avez plus l'air d'un amant déguisé, que d'un ami officieux.

LE COMTE. Oui ?   Vous croyez donc que mon air peut
aider à la tromperie ?

BARTHOLO. Je le donne au plus fin à deviner.*   Elle est
ce soir d'une humeur horrible.   Mais quand elle ne ferait
que vous voir... Son clavecin est dans ce cabinet.
Amusez-vous en l'attendant : je vais faire l'impossible pour 20
l'amener.

LE COMTE. Gardez-vous bien de lui parler de la lettre.

BARTHOLO. Avant l'instant décisif ?   Elle perdrait tout
son effet.   Il ne faut pas me dire deux fois les choses :
il ne faut pas me les dire deux fois.   [*Il s'en va.*]

SCÈNE III

Le comte, seul

Me voilà sauvé.   Ouf !   Que ce diable d'homme est
rude à manier !   Figaro le connaît bien.   Je me voyais
mentir ; cela me donnait un air plat et gauche ; et il a des
yeux !...   Ma foi, sans l'inspiration subite de la lettre, il
faut l'avouer, j'étais éconduit comme un sot.   O ciel ! on 30

dispute là-dedans.   Si elle allait s'obstiner à ne pas venir !
Écoutons...   Elle refuse de sortir de chez elle, et j'ai perdu
le fruit de ma ruse.   [*Il retourne écouter.*]   La voici ; ne nous
montrons pas d'abord.   [*Il entre dans le cabinet.*]

SCÈNE IV

Le comte, Rosine, Bartholo

ROSINE, *avec une colère simulée.** Tout ce que vous direz
est inutile, monsieur.   J'ai pris mon parti ; je ne veux plus
entendre parler de musique.

BARTHOLO. Écoutez donc, mon enfant ; c'est le seigneur
Alonzo, l'élève et l'ami de don Bazile, choisi par lui pour
être un de nos témoins...*   La musique te calmera, je   10
t'assure.

ROSINE. Oh !   pour cela, vous pouvez vous en détacher.*   Si je chante ce soir !...   Où donc est-il ce maître
que vous craignez de renvoyer ?   Je vais, en deux mots,
lui donner son compte,* et celui de Bazile.   [*Elle aperçoit
son amant ; elle fait un cri.*]   Ah !...

BARTHOLO. Qu'avez-vous ?

ROSINE, *les deux mains sur son cœur, avec un grand trouble.*
Ah ! mon Dieu, monsieur...   Ah ! mon Dieu, monsieur...

BARTHOLO. Elle se trouve encore mal !   Seigneur 20
Alonzo !

ROSINE. Non, je ne me trouve pas mal... mais c'est qu'en
me tournant...   Ah !...

LE COMTE. Le pied vous a tourné,* madame ?

ROSINE.   Ah ! oui, le pied m'a tourné.   Je me suis fait
un mal horrible.

LE COMTE. Je m'en suis bien aperçu.

ROSINE, *regardant le comte.* Le coup m'a porté au cœur.

BARTHOLO. Un siège, un siège.   Et pas un fauteuil ici ?
[*Il va le chercher.*]   30

LE COMTE. Ah ! Rosine !

Rosine. Quelle imprudence !

Le comte. J'ai mille choses essentielles à vous dire.

Rosine. Il ne nous quittera pas.

Le comte. Figaro va venir nous aider.

Bartholo, *apporte un fauteuil.* Tiens, mignonne, assieds-toi. Il n'y a pas d'apparence, bachelier, qu'elle prenne de leçon ce soir ; ce sera pour un autre jour. Adieu.

Rosine, *au comte.* Non, attendez ; ma douleur est un peu apaisée. [*A Bartholo.*] Je sens que j'ai eu tort avec vous, monsieur : je veux vous imiter,* en réparant sur-le-champ… 10

Bartholo. Oh ! le bon petit naturel de femme ! Mais après une pareille émotion, mon enfant, je ne souffrirai pas que tu fasses le moindre effort. Adieu, adieu, bachelier.

Rosine, *au comte.* Un moment, de grâce ! [*A Bartholo.*] Je croirai, monsieur, que vous n'aimez pas à m'obliger, si vous m'empêchez de vous prouver mes regrets en prenant ma leçon.

Le comte, *à part, à Bartholo.* Ne la contrariez pas, si vous m'en croyez.

Bartholo. Voilà qui est fini, mon amoureuse. Je suis 20 si loin de chercher à te déplaire, que je veux rester là tout le temps que tu vas étudier.

Rosine. Non, monsieur. Je sais que la musique n'a nul attrait pour vous.

Bartholo. Je t'assure que ce soir elle m'enchantera.

Rosine, *au comte, à part.* Je suis au supplice.

Le comte, *prenant un papier de musique sur le pupitre.* Est-ce là ce que vous voulez chanter, madame ?

Rosine. Oui, c'est un morceau très agréable de *la Précaution inutile.*   30

Bartholo. Toujours *la Précaution inutile* !

Le comte. C'est ce qu'il y a de plus nouveau aujourd'hui. C'est une image du printemps, d'un genre assez vif. Si madame veut l'essayer…

Rosine, *regardant le comte.* Avec grand plaisir : un

tableau du printemps me ravit ; c'est la jeunesse de la
nature.   Au sortir de l'hiver, il semble que le cœur acquière
un plus haut degré de sensibilité : comme un esclave, en-
fermé depuis longtemps, goûte avec plus de plaisir le
charme de la liberté qui vient de lui être offerte.

BARTHOLO, *bas au comte.* Toujours des idées roma-
nesques en tête.

LE COMTE, *bas.* En sentez-vous l'application ?

BARTHOLO. Parbleu ! [*Il va s'asseoir dans le fauteuil qu'a*
occupé Rosine.]

ROSINE *chante.**   10

Quand, dans la plaine
L'amour ramène
Le printemps
Si chéri des amants,
Tout reprend l'être,*
Son feu pénètre
Dans les fleurs
Et dans les jeunes cœurs.
On voit les troupeaux   20
Sortir des hameaux ;
Dans tous les coteaux
Les cris des agneaux
Retentissent ;
Ils bondissent ;
Tout fermente,
Tout augmente ;
Les brebis paissent
Les fleurs qui naissent ;
Les chiens fidèles   30
Veillent sur elles ;
Mais Lindor enflammé
Ne songe guère
Qu'au bonheur d'être aimé
De sa bergère.

(*Même air.*)

Loin de sa mère
Cette bergère
Va chantant

Où son amant l'attend.
  Par cette ruse,
  L'amour l'abuse ;
  Mais chanter
Sauve-t-il du danger ?
  Les doux chalumeaux,
  Les chants des oiseaux,
  Ses charmes naissants,
  Ses quinze ou seize ans,
   Tout l'excite,
   Tout l'agite ;
   La pauvrette
   S'inquiète ;
  De sa retraite,
  Lindor la guette ;
  Elle s'avance ;
  Lindor s'élance ;
Il vient de l'embrasser,
  Elle, bien aise,
Feint de se courroucer
  Pour qu'on l'apaise.

  (PETITE REPRISE *)

  Les soupirs,
Les soins, les promesses,
Les vives tendresses,
  Les plaisirs,
 Le fin badinage,
 Sont mis en usage ;
Et bientôt la bergère
Ne sent plus de colère.
 Si quelque jaloux
Trouble un bien si doux,
 Nos amants d'accord
 Ont un soin extrême...
...De voiler leur transport ;
 Mais quand on s'aime,
La gêne ajoute encor
 Au plaisir même.

[*En l'écoutant, Bartholo s'est assoupi. Le comte, pendant
la petite reprise, se hasarde à prendre une main qu'il couvre de*

*baisers.   L'émotion ralentit le chant de Rosine, l'affaiblit, et finit
même par lui couper la voix au milieu de la cadence, au mot :
extrême.   L'orchestre suit les mouvements de la chanteuse,
affaiblit son jeu, et se tait avec elle.   L'absence du bruit qui avait
endormi Bartholo, le réveille.   Le comte se relève, Rosine et
l'orchestre reprennent subitement la suite de l'air.   Si la petite
reprise se répète, le même jeu recommence.]*

LE COMTE. En vérite, c'est un morceau charmant ; et
madame l'exécute avec une intelligence…

ROSINE. Vous me flattez, seigneur ; la gloire est tout 10
entière au maître.

BARTHOLO, *bâillant.* Moi, je crois que j'ai un peu dormi
pendant le morceau charmant. J'ai mes malades. Je
vas,* je viens, je toupille, et sitôt que je m'assieds, mes
pauvres jambes ! [*Il se lève et pousse le fauteuil.*]

ROSINE, *bas au comte.* Figaro ne vient pas !

LE COMTE. Filons le temps.*

BARTHOLO. Mais, bachelier, je l'ai déjà dit à ce vieux
Bazile : est-ce qu'il n'y aurait pas moyen de lui faire
étudier des choses plus gaies que toutes ces grandes aria,* 20
qui vont en haut, en bas, en roulant, hi, ho, a, a, a, a, et qui
me semblent autant d'enterrements ? Là, de ces petits airs
qu'on chantait dans ma jeunesse, et que chacun retenait
facilement ? J'en savais autrefois… Par exemple…

[*Pendant la ritournelle,* il cherche en se grattant la tête, et
chante en faisant claquer ses pouces, et dansant des genoux*
comme les vieillards.*]

> Veux-tu, ma Rosinette,*
> Faire emplette
> Du roi des maris ?…   30

[*Au comte, en riant.*] Il y a Fanchonnette dans la chanson ;
mais j'y ai substitué Rosinette pour la lui rendre plus agréable, et la faire cadrer aux circonstances. Ah, ah, ah, ah !
Fort bien ! pas vrai ?

LE COMTE, *riant.* Ah, ah, ah ! Oui, tout au mieux.*

SCÈNE V

Figaro dans le fond, Rosine, Bartholo, le comte

BARTHOLO *chante.*

> Veux-tu, ma Rosinette,
>   Faire emplette
>   Du roi des maris ?
> Je ne suis point Tircis ; *
>
>   Mais la nuit, dans l'ombre,
> Je vaux encore mon prix ;
>   Et quand il fait sombre
> Les plus beaux chats sont gris.

[*Il répète la reprise en dansant, Figaro, derrière lui, imite ses* 10
mouvements.]

> Je ne suis point Tircis.

[*Apercevant Figaro.*] Ah ! entrez, monsieur le barbier ;
avancez ; vous êtes charmant !

FIGARO *salue.* Monsieur, il est vrai que ma mère me l'a
dit autrefois ; mais je suis un peu déformé depuis ce temps-
là. [*A part, au comte.*] Bravo, monseigneur !

[*Pendant toute cette scène, le comte fait ce qu'il peut pour
parler à Rosine ; mais l'œil inquiet et vigilant du tuteur * l'en
empêche toujours, ce qui forme un jeu muet de tous les acteurs* 20
étrangers au débat du docteur et de Figaro.]

BARTHOLO. Venez-vous purger encore, saigner, droguer, mettre sur le grabat * toute ma maison ?

FIGARO. Monsieur, il n'est pas tous les jours fête ; *
mais, sans compter les soins quotidiens, monsieur a pu voir
que, lorsqu'ils en ont besoin,* mon zèle n'attend pas qu'on
lui commande...

BARTHOLO. Votre zèle n'attend pas ! Que direz-vous,
monsieur le zélé, à ce malheureux qui bâille et dort tout
éveillé ? et à l'autre qui, depuis trois heures, éternue à se 30
faire sauter le crâne * et jaillir la cervelle ! que leur direz-
vous ?

FIGARO. Ce que je leur dirai ?

BARTHOLO. Oui !

FIGARO. Je leur dirai...   Eh, parbleu ! je dirai à celui
qui éternue : *Dieu vous bénisse !* et : *Va te coucher* à celui
qui bâille.   Ce n'est pas cela, monsieur, qui grossira le
mémoire.

BARTHOLO. Vraiment non ; mais c'est la saignée et les
médicaments qui le grossiraient, si je voulais y entendre.
Est-ce par zèle aussi, que vous avez empaqueté les yeux de
ma mule ? et votre cataplasme lui rendra-t-il la vue ?

FIGARO. S'il ne lui rend pas la vue, ce n'est pas cela 10
non plus qui l'empêchera d'y voir.

BARTHOLO. Que je le trouve sur le mémoire !...* On
n'est pas de cette extravagance-là !

FIGARO. Ma foi, monsieur, les hommes n'ayant guère à
choisir qu'entre la sottise et la folie, où je ne vois point
de profit je veux au moins du plaisir ; et vive la joie ! Qui
sait si le monde durera encore trois semaines ?

BARTHOLO. Vous feriez bien mieux, monsieur le rai-
sonneur, de me payer mes cent écus et les intérêts sans
lanterner ; je vous en avertis.   20

FIGARO. Doutez-vous de ma probité, monsieur ? Vos
cent écus ! j'aimerais mieux vous les devoir toute ma vie
que de les nier un seul instant.*

BARTHOLO. Et dites-moi un peu comment la petite
Figaro a trouvé les bonbons que vous lui avez portés ?

FIGARO. Quels bonbons ?   Que voulez-vous dire ?

BARTHOLO. Oui, ces bonbons, dans ce cornet fait avec
cette feuille de papier à lettre, ce matin.

FIGARO. Diable emporte si...

ROSINE, *l'interrompant.* Avez-vous eu soin au moins de 30
les lui donner de ma part, monsieur Figaro ? Je vous
l'avais recommandé.

FIGARO. Ah ! ah ! les bonbons de ce matin ? Que je
suis bête, moi ! j'avais perdu tout cela de vue... Oh !
excellents, madame ! admirables !

BARTHOLO. Excellents ! admirables ! Oui, sans doute, monsieur le barbier, revenez sur vos pas ! Vous faites là un joli métier, monsieur !

FIGARO. Qu'est-ce qu'il a donc, monsieur ?

BARTHOLO. Et qui vous fera une belle réputation, monsieur !

FIGARO. Je la soutiendrai,* monsieur.

BARTHOLO. Dites que vous la supporterez, monsieur.

FIGARO. Comme il vous plaira, monsieur.

BARTHOLO. Vous le prenez bien haut, monsieur ! Sachez que quand je dispute avec un fat, je ne lui cède jamais.

FIGARO, *lui tourne le dos.* Nous différons en cela, monsieur ; moi, je lui cède toujours.

BARTHOLO. Hein ? qu'est-ce qu'il dit donc, bachelier ?

FIGARO. C'est que vous croyez avoir affaire à quelque barbier de village, et qui ne sait manier que le rasoir ? Apprenez, monsieur, que j'ai travaillé de la plume à Madrid, et que sans les envieux...

BARTHOLO. Eh ! que n'y restiez-vous,* sans venir ici changer de profession ?

FIGARO. On fait comme on peut. Mettez-vous à ma place.

BARTHOLO. Me mettre à votre place ! Ah ! parbleu, je dirais de belles sottises !

FIGARO. Monsieur, vous ne commencez pas trop mal ; je m'en rapporte à votre confrère qui est là rêvassant.

LE COMTE, *revenant à lui.* Je... je ne suis pas le confrère de monsieur.

FIGARO. Non ! Vous voyant ici à consulter, j'ai pensé que vous poursuiviez le même objet.

BARTHOLO, *en colère.* Enfin, quel sujet vous amène ? Y a-t-il quelque lettre à remettre encore ce soir à madame ? Parlez, faut-il que je me retire ?

FIGARO. Comme vous rudoyez le pauvre monde ! Eh !

parbleu, monsieur, je viens vous raser, voilà tout : n'est-ce
pas aujourd'hui votre jour ?

BARTHOLO. Vous reviendrez tantôt.

FIGARO. Ah ! oui, revenir ! Toute la garnison prend
médecine demain matin, j'en ai obtenu l'entreprise par mes
protections. Jugez donc comme j'ai du temps à perdre !
Monsieur passe-t-il chez lui ? *

BARTHOLO. Non, monsieur ne passe point chez lui. Eh
mais… qui empêche qu'on ne me rase ici ?

ROSINE, *avec dédain.* Vous êtes honnête ! * Et pourquoi   10
pas dans mon appartement ?

BARTHOLO. Tu te fâches ! Pardon, mon enfant, tu vas
achever de prendre ta leçon ; c'est pour ne pas perdre un
instant le plaisir de t'entendre.

FIGARO, *bas au comte.* On ne le tirera pas d'ici ! [*Haut.*]
Allons, L'Éveillé ? La Jeunesse ? le bassin, de l'eau, tout
ce qu'il faut à monsieur.

BARTHOLO. Sans doute, appelez-les ! Fatigués, harassés,
moulus de votre façon,* n'a-t-il pas fallu les faire coucher !

FIGARO. Eh bien ! j'irai tout chercher. N'est-ce pas   20
dans votre chambre ? [*Bas au comte.*] Je vais l'attirer
dehors.

BARTHOLO *détache son trousseau de clefs, et dit par réflexion.*
Non, non, j'y vais moi-même. [*Bas au comte, en s'en
allant.*] Ayez les yeux sur eux, je vous prie.

SCÈNE VI

Figaro, le comte, Rosine

FIGARO. Ah ! que nous l'avons manqué belle ! * il allait
me donner le trousseau. La clef de la jalousie n'y est-
elle pas ?

ROSINE. C'est la plus neuve de toutes.

SCÈNE VII

Bartholo, Figaro, le comte, Rosine

BARTHOLO, *revenant.* [*A part.*] Bon ! je ne sais ce que
je fais, de laisser ici ce maudit barbier. [*A Figaro.*]
Tenez. [*Il lui donne le trousseau.*] Dans mon cabinet, sous
mon bureau ; mais ne touchez à rien.

FIGARO. La peste ! * il y ferait bon, méfiant comme vous
êtes ! [*A part, en s'en allant.*] Voyez comme le ciel
protège l'innocence !

SCÈNE VIII

Bartholo, le comte, Rosine

BARTHOLO, *bas au comte.* C'est le drôle qui a porté la
lettre au comte.

LE COMTE, *bas.* Il m'a l'air d'un fripon.   10

BARTHOLO. Il ne m'attrapera plus.

LE COMTE. Je crois qu'à cet égard le plus fort est fait.*

BARTHOLO. Tout considéré, j'ai pensé qu'il était plus
prudent de l'envoyer dans ma chambre que de le laisser
avec elle.

LE COMTE. Ils n'auraient pas dit un mot que je n'eusse
été en tiers.*

ROSINE. Il est bien poli, messieurs, de parler bas sans
cesse. Et ma leçon ?

[*Ici, l'on entend un bruit, comme de vaisselle renversée.*]   20

BARTHOLO, *criant.* Qu'est-ce que j'entends donc ? Le
cruel barbier aura tout laissé tomber * dans l'escalier, et les
plus belles pièces de mon nécessaire !... [*Il court dehors.*]

SCÈNE IX

Le comte, Rosine

LE COMTE. Profitons du moment que l'intelligence de Figaro nous ménage.   Accordez-moi ce soir, je vous en conjure, madame, un moment d'entretien indispensable pour vous soustraire à l'esclavage où vous alliez tomber.

ROSINE. Ah !   Lindor !

LE COMTE. Je puis monter à votre jalousie ; et quant à la lettre que j'ai reçue de vous ce matin, je me suis vu forcé...

SCÈNE X

Rosine, Bartholo, Figaro, le comte

BARTHOLO. Je ne m'étais pas trompé ; tout est brisé, fracassé.

FIGARO. Voyez le grand malheur pour tant de train ! * 10 On ne voit goutte sur l'escalier.   [*Il montre la clef au comte.*] Moi, en montant, j'ai accroché une clef...*

BARTHOLO. On prend garde à ce qu'on fait.   Accrocher une clef !   L'habile homme !

FIGARO. Ma foi, monsieur, cherchez-en un plus subtil.

SCÈNE XI

Les acteurs précédents, don Bazile

ROSINE, *effrayée, à part.* Don Bazile !...

LE COMTE, *à part.* Juste ciel !

FIGARO, *à part.* C'est le diable !

BARTHOLO *va au-devant de lui.* Ah !   Bazile, mon ami, soyez le bien rétabli.*   Votre accident n'a donc point eu 20

de suites ? En vérité le seigneur Alonzo m'avait fort
effrayé sur votre état ; demandez-lui, je partais pour vous
aller voir, et s'il ne m'avait point retenu...

BAZILE, *étonné*. Le seigneur Alonzo ?

FIGARO *frappe du pied*. Eh quoi ! toujours des accrocs ?
Deux heures pour une méchante barbe...* Chienne de
pratique ! *

BAZILE, *regardant tout le monde*. Me ferez-vous bien le
plaisir de me dire, messieurs...?

FIGARO. Vous lui parlerez quand je serai parti. 10

BAZILE. Mais encore faudrait-il...

LE COMTE. Il faudrait vous taire, Bazile. Croyez-vous
apprendre à monsieur quelque chose qu'il ignore ? Je
lui ai raconté que vous m'aviez chargé de venir donner une
leçon de musique à votre place.

BAZILE, *plus étonné*. La leçon de musique !... Alonzo !...

ROSINE, *à part, à Bazile*. Eh ! taisez-vous.

BAZILE. Elle aussi !

LE COMTE, *bas à Bartholo*. Dites-lui donc tout bas que
nous en sommes convenus. 20

BARTHOLO, *à Bazile, à part*. N'allez pas nous démentir,
Bazile, en disant qu'il n'est pas votre élève, vous gâteriez
tout.

BAZILE. Ah ! ah !

BARTHOLO, *haut*. En vérité, Bazile, on n'a pas plus de
talent que votre élève.

BAZILE, *stupéfait*. Que mon élève !... [*Bas.*] Je venais
pour vous dire que le comte est déménagé.

BARTHOLO, *bas*. Je le sais, taisez-vous.

BAZILE, *bas*. Qui vous l'a dit ? 30

BARTHOLO, *bas*. Lui, apparemment.*

LE COMTE, *bas*. Moi, sans doute : écoutez seulement.

ROSINE, *bas à Bazile*. Est-il si difficile de vous taire ?

FIGARO, *bas à Bazile*. Hum ! Grand escogriffe ! Il est
sourd !

BAZILE, *à part.* Qui diable est-ce donc qu'on trompe ici ? Tout le monde est dans le secret !

BARTHOLO, *haut.* Eh bien, Bazile, votre homme de loi ?

FIGARO. Vous avez toute la soirée pour parler de l'homme de loi.

BARTHOLO, *à Bazile.* Un mot : dites-moi seulement si vous êtes content de l'homme de loi ?

BAZILE, *effaré.* De l'homme de loi ?

LE COMTE, *souriant.* Vous ne l'avez pas vu, l'homme de loi ? 10

BAZILE, *impatienté.* Eh ! non, je ne l'ai pas vu, l'homme de loi.

LE COMTE, *à Bartholo, à part.* Voulez-vous donc qu'il s'explique ici devant elle ? Renvoyez-le.

BARTHOLO, *bas, au comte.* Vous avez raison. [*A Bazile.*] Mais quel mal vous a donc pris si subitement ?

BAZILE, *en colère.* Je ne vous entends pas.*

LE COMTE *lui met à part une bourse dans la main.* Oui, monsieur vous demande ce que vous venez faire ici, dans 20 l'état d'indisposition où vous êtes ?

FIGARO. Il est pâle comme un mort !

BAZILE. Ah ! je comprends...

LE COMTE. Allez vous coucher, mon cher Bazile : vous n'êtes pas bien, et vous nous faites mourir de frayeur. Allez vous coucher.

FIGARO. Il a la physionomie toute renversée. Allez vous coucher.

BARTHOLO. D'honneur,* il sent la fièvre d'une lieue. Allez vous coucher.

ROSINE. Pourquoi êtes-vous donc sorti ? On dit que 30 cela se gagne.* Allez vous coucher.

BAZILE, *au dernier étonnement.* Que j'aille me coucher !*

TOUS LES ACTEURS ENSEMBLE. Eh ! sans doute.

BAZILE, *les regardant tous.* En effet, messieurs, je crois

que je ne ferai pas mal de me retirer ; je sens que je ne suis pas ici dans mon assiette ordinaire.

BARTHOLO. A demain, toujours : si vous êtes mieux.

LE COMTE. Bazile, je serai chez vous de très bonne heure.

FIGARO. Croyez-moi, tenez-vous bien chaudement dans votre lit.

ROSINE. Bonsoir, monsieur Bazile.

BAZILE, *à part.* Diable emporte si j'y comprends rien ! et sans cette bourse...   10

TOUS. Bonsoir, Bazile, bonsoir.

BAZILE, *en s'en allant.* Eh bien ! bonsoir donc, bonsoir.
[*Ils l'accompagnent tous en riant.*]

SCÈNE XII

Les acteurs précédents, excepté Bazile

BARTHOLO, *d'un ton important.* Cet homme-là n'est pas bien du tout.

ROSINE. Il a les yeux égarés.

LE COMTE. Le grand air l'aura saisi.*

FIGARO. Avez-vous vu comme il parlait tout seul ? Ce que c'est que de nous ! * [*A Bartholo.*] Ah çà, vous décidez-vous, cette fois ? * [*Il lui pousse un fauteuil très loin*   20 *du comte, et lui présente le linge.*]

LE COMTE. Avant de finir, madame, je dois vous dire un mot essentiel au progrès de l'art que j'ai l'honneur de vous enseigner. [*Il s'approche, et lui parle bas à l'oreille.*]

BARTHOLO, *à Figaro.* Eh mais ! il semble que vous le fassiez exprès de vous approcher, et de vous mettre devant moi pour m'empêcher de voir...

LE COMTE, *bas à Rosine.* Nous avons la clef de la jalousie, et nous serons ici à minuit.

FIGARO *passe le linge au cou de Bartholo.* Quoi voir ? Si   30 c'était une leçon de danse, on vous passerait d'y regarder, mais du chant !... ahi, ahi.

BARTHOLO. Qu'est-ce que c'est ?

FIGARO. Je ne sais ce qui m'est entré dans l'œil. [*Il rapproche sa tête.*]

BARTHOLO. Ne frottez donc pas.

FIGARO. C'est le gauche. Voudriez-vous me faire le plaisir d'y souffler un peu fort ?

[*Bartholo prend la tête de Figaro, regarde par-dessus, le pousse violemment, et va derrière les amants écouter leur conversation.*]   10

LE COMTE, *bas à Rosine.* Et quant à votre lettre, je me suis trouvé tantôt dans un tel embarras pour rester ici...

FIGARO, *de loin, pour avertir.* Hem ! hem !...

LE COMTE. Désolé de voir encore mon déguisement inutile.

BARTHOLO, *passant entre deux.* Votre déguisement inutile.

ROSINE, *effrayée.* Ah !...

BARTHOLO. Fort bien, madame, ne vous gênez pas. Comment ! sous mes yeux mêmes, en ma présence, on m'ose outrager de la sorte !   20

LE COMTE. Qu'avez-vous donc, seigneur ?

BARTHOLO. Perfide Alonzo !

LE COMTE. Seigneur Bartholo, si vous avez souvent des lubies comme celle dont le hasard me rend témoin, je ne suis plus étonné de l'éloignement que mademoiselle a pour devenir votre femme.

ROSINE. Sa femme ! Moi ! Passer mes jours auprès d'un vieux jaloux, qui, pour tout bonheur, offre à ma jeunesse un esclavage abominable !

BARTHOLO. Ah ! qu'est-ce que j'entends !   30

ROSINE. Oui, je le dis tout haut : je donnerai mon cœur et ma main à celui qui pourra m'arracher de cette horrible prison, où ma personne et mon bien sont retenus contre toute justice. [*Rosine sort.*]

SCÈNE XIII

Bartholo, Figaro, le comte

BARTHOLO. La colère me suffoque.

LE COMTE. En effet, seigneur, il est difficile qu'une jeune femme...

FIGARO. Oui, une jeune femme et un grand âge, voilà ce qui trouble la tête d'un vieillard.

BARTHOLO. Comment ! lorsque je les prends sur le fait ! Maudit barbier ! il me prend des envies...*

FIGARO. Je me retire, il est fou.

LE COMTE. Et moi aussi ; d'honneur, il est fou.

FIGARO. Il est fou, il est fou... [*Ils sortent.*] 10

SCÈNE XIV

Bartholo, seul, les poursuit

Je suis fou ! * Infâmes suborneurs, émissaires du diable, dont vous faites ici l'office, et qui puisse vous emporter tous... je suis fou !... Je les ai vus comme je vois ce pupitre... et me soutenir effrontément...! Ah ! il n'y a que Bazile qui puisse m'expliquer ceci. Oui, envoyons-le chercher. Holà, quelqu'un... Ah ! j'oublie que je n'ai personne... Un voisin, le premier venu, n'importe. Il y a de quoi perdre l'esprit ! * il y a de quoi perdre l'esprit !

[*Pendant l'entr'acte, le théâtre s'obscurcit ; on entend un bruit d'orage et l'orchestre joue celui * qui est gravé dans le recueil de la musique du ' Barbier,' nᵒ. 5.*] 20

ACTE IV

Le théâtre est obscur

SCÈNE PREMIÈRE

Bartholo, don Bazile une lanterne de papier à la main

BARTHOLO. Comment, Bazile, vous ne le connaissez pas ! Ce que vous dites est-il possible ?

BAZILE. Vous m'interrogeriez cent fois, que je vous ferais toujours la même réponse. S'il vous a remis la lettre de Rosine, c'est sans doute un des émissaires du comte. Mais, à la magnificence du présent qu'il m'a fait, il se pourrait que ce fût le comte lui-même.

BARTHOLO. Quelle apparence ? * Mais, à propos de ce présent, eh ! pourquoi l'avez-vous reçu ?

BAZILE. Vous aviez l'air d'accord ; * je n'y entendais 10 rien ; et, dans les cas difficiles à juger, une bourse d'or me paraît toujours un argument sans réplique. Et puis, comme dit le proverbe, ce qui est bon à prendre...*

BARTHOLO. J'entends, est bon...

BAZILE. ... à garder.

BARTHOLO, *surpris*. Ah ! ah !

BAZILE. Oui, j'ai arrangé comme cela plusieurs petits proverbes avec des variations. Mais allons au fait : à quoi vous arrêtez-vous ?

BARTHOLO. En ma place, Bazile, ne feriez-vous pas les 20 derniers efforts pour la posséder ?

BAZILE. Ma foi non, docteur. En toute espèce de biens, posséder est peu de chose ; c'est jouir, qui rend heureux : mon avis est qu'épouser une femme dont on n'est point aimé, c'est s'exposer...

BARTHOLO. Vous craindriez les accidents ?

BAZILE. Hé, hé, monsieur... on en voit beaucoup cette année. Je ne ferais point violence à son cœur.

62

BARTHOLO. Votre valet,* Bazile.   Il vaut mieux qu'elle pleure de m'avoir, que moi je meure de ne l'avoir pas.

BAZILE. Il y va de la vie ? *   Épousez, docteur, épousez.

BARTHOLO. Aussi ferai-je,* et cette nuit même.

BAZILE. Adieu donc...   Souvenez-vous, en parlant à la pupille, de les rendre * tous plus noirs que l'enfer.

BARTHOLO. Vous avez raison.

BAZILE. La calomnie, docteur, la calomnie !   Il faut toujours en venir là.

BARTHOLO. Voici la lettre de Rosine, que cet Alonzo m'a remise ;   et il m'a montré, sans le vouloir, l'usage que j'en dois faire auprès d'elle.

BAZILE. Adieu : nous serons tous ici à quatre heures.

BARTHOLO. Pourquoi pas plus tôt ?

BAZILE. Impossible ;   le notaire est retenu.*

BARTHOLO. Pour un mariage ?

BAZILE. Oui, chez le barbier Figaro ;   c'est sa nièce qu'il marie.

BARTHOLO. Sa nièce ?   il n'en a pas.

BAZILE. Voilà ce qu'ils ont dit au notaire.

BARTHOLO. Ce drôle est du complot :   que diable !...

BAZILE. Est-ce que vous penseriez...?

BARTHOLO. Ma foi, ces gens-là sont si alertes !   Tenez, mon ami, je ne suis pas tranquille.   Retournez chez le notaire.   Qu'il vienne ici sur-le-champ avec vous.

BAZILE. Il pleut, il fait un temps du diable ;   mais rien ne m'arrête pour vous servir.   Que faites-vous donc ?

BARTHOLO. Je vous reconduis :   n'ont-ils pas fait estropier tout mon monde par ce Figaro !   Je suis seul ici.

BAZILE. J'ai ma lanterne.

BARTHOLO. Tenez, Bazile, voilà mon passe-partout. Je vous attends, je veille ;   et vienne qui voudra, hors le notaire et vous, personne n'entrera de la nuit.

BAZILE. Avec ces précautions, vous êtes sûr de votre fait.*

SCÈNE II

Rosine, seule, sortant de sa chambre

Il me semblait avoir entendu parler. Il est minuit
sonné ; Lindor ne vient point ! Ce mauvais temps même
était propre à le favoriser. Sûr de ne rencontrer personne
... Ah ! Lindor ! si vous m'aviez trompée !... Quel
bruit entends-je ?... Dieux ! c'est mon tuteur. Rentrons.

SCÈNE III

Rosine, Bartholo

BARTHOLO, *tenant de la lumière.* Ah ! Rosine, puisque
vous n'êtes pas encore rentrée dans votre appartement...

ROSINE. Je vais me retirer.

BARTHOLO. Par le temps affreux qu'il fait, vous ne repo-
serez pas, et j'ai des choses très pressées à vous dire.   10

ROSINE. Que me voulez-vous, monsieur ? N'est-ce
donc pas assez d'être tourmentée le jour ?

BARTHOLO. Rosine, écoutez-moi.

ROSINE. Demain je vous entendrai.

BARTHOLO. Un moment, de grâce !

ROSINE, *à part.* S'il allait venir !

BARTHOLO *lui montre sa lettre.* Connaissez-vous cette
lettre ?

ROSINE *la reconnaît.* Ah ! grands dieux !...

BARTHOLO. Mon intention, Rosine, n'est point de vous   20
faire de reproches : à votre âge, on peut s'égarer ; mais je
suis votre ami ; écoutez-moi.

ROSINE. Je n'en puis plus.

BARTHOLO. Cette lettre que vous avez écrite au comte
Almaviva !...

ROSINE, *étonnée.* Au comte Almaviva !

BARTHOLO. Voyez quel homme affreux est ce comte : aussitôt qu'il l'a reçue, il en a fait trophée.   Je la tiens d'une femme à qui il l'a sacrifiée.

ROSINE. Le comte Almaviva !...

BARTHOLO. Vous avez peine à vous persuader cette horreur. L'inexpérience, Rosine, rend votre sexe confiant et crédule ; mais apprenez dans quel piège on vous attirait.   Cette femme m'a fait donner avis de tout, apparemment pour écarter une rivale aussi dangereuse que vous.   J'en frémis ! le plus abominable complot entre Almaviva, Figaro et cet Alonzo, cet élève supposé de Bazile, qui porte un autre nom et n'est que le vil agent du comte, allait vous entraîner dans un abîme dont rien n'eût pu vous tirer.

ROSINE, *accablée*. Quelle horreur !...   quoi, Lindor !... quoi, ce jeune homme !...

BARTHOLO, *à part*. Ah ! c'est Lindor ?

ROSINE. C'est pour le comte Almaviva...   C'est pour un autre...

BARTHOLO. Voilà ce qu'on m'a dit en me remettant votre lettre.

ROSINE, *outrée*. Ah !   quelle indignité !...   Il en sera puni...   Monsieur, vous avez désiré de m'épouser ?

BARTHOLO. Tu connais la vivacité de mes sentiments.

ROSINE. S'il peut vous en rester encore, je suis à vous.

BARTHOLO. Eh bien ! le notaire viendra cette nuit même.*

ROSINE. Ce n'est pas tout.   O ciel ! suis-je assez humiliée !...   Apprenez que dans peu le perfide ose entrer par cette jalousie dont ils ont eu l'art de vous dérober la clef.

BARTHOLO, *regardant au trousseau*. Ah ! les scélérats ! Mon enfant, je ne te quitte plus.

ROSINE, *avec effroi*. Ah, monsieur ! et s'ils sont armés ?

BARTHOLO. Tu as raison : je perdrais ma vengeance. Monte chez Marceline : enferme-toi chez elle à double tour.　Je vais chercher main-forte, et l'attendre auprès de la maison.　Arrêté comme voleur,* nous aurons le plaisir d'en être à la fois vengés et délivrés !　Et compte que mon amour te dédommagera...

ROSINE, *au désespoir.* Oubliez seulement mon erreur. [*A part.*]　Ah ! je m'en punis assez !

BARTHOLO, *s'en allant.* Allons nous embusquer.　A la fin, je la tiens.　[*Il sort.*]

SCÈNE IV

Rosine, seule

Son amour me dédommagera !...　Malheureuse !...
[*Elle tire son mouchoir, et s'abandonne aux larmes.*]　Que 10
faire ?...　Il va venir.　Je veux rester et feindre avec lui,
pour le contempler un moment dans toute sa noirceur.
La bassesse de son procédé sera mon préservatif...　Ah !
j'en ai grand besoin.　Figure noble, air doux, une voix si
tendre !...　et ce n'est que le vil agent d'un corrupteur !
Ah, malheureuse ! malheureuse !...　Ciel !　on ouvre la
jalousie !　[*Elle se sauve.*]

SCÈNE V

Le comte, Figaro, enveloppé d'un manteau, paraît à la fenêtre

FIGARO *parle en dehors.* Quelqu'un s'enfuit : entrerai-je ?

LE COMTE, *en dehors.* Un homme ?　　　　　　　　20

FIGARO. Non.

LE COMTE. C'est Rosine, que ta figure atroce aura mise en fuite.

FIGARO *saute dans la chambre.* Ma foi, je le crois...　Nous voici enfin arrivés, malgré la pluie, la foudre et les éclairs.

LE COMTE, *enveloppé d'un long manteau.* Donne-moi la main. [*Il saute à son tour.*] A nous la victoire !

FIGARO *jette son manteau.* Nous sommes tout percés.* Charmant temps, pour aller en bonne fortune ! Monseigneur, comment trouvez-vous cette nuit ?

LE COMTE. Superbe pour un amant.

FIGARO. Oui ; mais pour un confident ?... Et si quelqu'un allait nous surprendre ici ?

LE COMTE. N'es-tu pas avec moi ? J'ai bien une autre inquiétude : c'est de la déterminer à quitter sur-le-champ 10 la maison du docteur.

FIGARO. Vous avez pour vous trois passions toutespuissantes sur le beau sexe : l'amour, la haine et la crainte.

LE COMTE *regard dans l'obscurité.* Comment lui annoncer brusquement que le notaire l'attend chez toi pour nous unir ? Elle trouvera mon projet bien hardi ; elle va me nommer audacieux.

FIGARO. Si elle vous nomme audacieux, vous l'appellerez cruelle. Les femmes aiment beaucoup qu'on les appelle cruelles. Au surplus, si son amour est tel que 20 vous le désirez, vous lui direz qui vous êtes ; elle ne doutera plus de vos sentiments.

SCÈNE VI

Le comte, Rosine, Figaro

[*Figaro allume toutes les bougies qui sont sur la table.*]

LE COMTE. La voici.—Ma belle Rosine !...

ROSINE, *d'un ton très compassé.* Je commençais, monsieur, à craindre que vous ne vinssiez pas.

LE COMTE. Charmante inquiétude !... Mademoiselle, il ne me convient point d'abuser des circonstances pour vous proposer de partager le sort d'un infortuné ; mais quelque asile que vous choisissiez, je jure sur mon honneur...

Rosine. Monsieur, si le don de la main n'avait pas dû suivre à l'instant celui de mon cœur, vous ne seriez pas ici. Que la nécessité justifie à vos yeux ce que cette entrevue a d'irrégulier.

Le comte. Vous, Rosine ! la compagne d'un malheureux sans fortune, sans naissance !...

Rosine. La naissance, la fortune ! Laissons là les jeux du hasard ; et si vous m'assurez que vos intentions sont pures...

Le comte, *à ses pieds.* Ah ! Rosine ! je vous adore !...

Rosine, *indignée.* Arrêtez, malheureux !... vous osez 10 profaner !... Tu m'adores !...* Va ! tu n'es plus dangereux pour moi ; j'attendais ce mot pour te détester. Mais avant de t'abandonner au remords qui t'attend, [*En pleurant*] apprends que je t'aimais ; apprends que je faisais mon bonheur de partager ton mauvais sort. Misérable Lindor ! j'allais tout quitter pour te suivre. Mais le lâche abus que tu as fait de mes bontés, et l'indignité de cet affreux comte Almaviva, à qui tu me vendais, ont fait rentrer dans mes mains ce témoignage de ma faiblesse. Connais-tu cette lettre ? 20

Le comte, *vivement.* Que votre tuteur vous a remise ?

Rosine, *fièrement.* Oui, je lui en ai l'obligation.

Le comte. Dieux, que je suis heureux ! Il la tient de moi. Dans mon embarras, hier, je m'en suis servi pour arracher sa confiance ; et je n'ai pu trouver l'instant de vous en informer. Ah, Rosine ! il est donc vrai que vous m'aimez véritablement !

Figaro. Monseigneur, vous cherchiez une femme qui vous aimât pour vous-même...

Rosine. Monseigneur !... Que dit-il ? 30

Le comte, *jetant son large manteau, paraît en habit magnifique.* O la plus aimée des femmes ! il n'est plus temps de vous abuser : l'heureux homme que vous voyez à vos pieds n'est point Lindor ; je suis le comte Almaviva, qui meurt d'amour, et vous cherche en vain depuis six mois.

Rosine *tombe dans les bras du comte.* Ah !...

Le comte, *effrayé.* Figaro !

Figaro. Point d'inquiétude, monseigneur: la douce émotion de la joie n'a jamais de suites fâcheuses ; la voilà, la voilà qui reprend ses sens. Morbleu, qu'elle est belle !

Rosine. Ah, Lindor !... Ah, monsieur ! que je suis coupable ! j'allais me donner cette nuit même à mon tuteur.

Le comte. Vous, Rosine !

Rosine. Ne voyez que ma punition ! J'aurais passé ma 10 vie à vous détester. Ah, Lindor, le plus affreux supplice n'est-il pas de haïr, quand on sent qu'on est faite pour aimer ?

Figaro *regarde à la fenêtre.* Monseigneur, le retour est fermé ; * l'échelle est enlevée.

Le comte. Enlevée !

Rosine, *troublée.* Oui, c'est moi... c'est le docteur. Voilà le fruit de ma crédulité. Il m'a trompée. J'ai tout avoué, tout trahi : il sait que vous êtes ici, et va venir avec main-forte. 20

Figaro *regarde encore.* Monseigneur ! on ouvre la porte de la rue.

Rosine, *courant dans les bras du comte avec frayeur.* Ah Lindor !...

Le comte, *avec fermeté.* Rosine, vous m'aimez ! Je ne crains personne ; et vous serez ma femme. J'aurai donc le plaisir de punir à mon gré l'odieux vieillard !...

Rosine. Non, non ; grâce pour lui, cher Lindor ! Mon cœur est si plein que la vengeance ne peut y trouver place.

SCÈNE VII

Le notaire, don Bazile, les acteurs précédents

Figaro. Monseigneur, c'est notre notaire.   30

Le comte. Et l'ami Bazile avec lui !

BAZILE. Ah! qu'est-ce que j'aperçois?

FIGARO. Eh! par quel hasard, notre ami...?

BAZILE. Par quel accident, messieurs...?

LE NOTAIRE. Sont-ce là les futurs conjoints?

LE COMTE. Oui, monsieur. Vous deviez unir la signora Rosine et moi cette nuit, chez le barbier Figaro; mais nous avons préféré cette maison, pour des raisons que vous saurez. Avez-vous notre contrat?

LE NOTAIRE. J'ai donc l'honneur de parler à Son Excellence monsieur le comte Almaviva? 10

FIGARO. Précisément.

BAZILE, à part. Si c'est pour cela qu'il m'a donné le passe-partout...

LE NOTAIRE. C'est que j'ai deux contrats de mariage,* monseigneur. Ne confondons point: voici le vôtre; et c'est ici celui du seigneur Bartholo avec la signora... Rosine aussi? Les demoiselles apparemment sont deux sœurs qui portent le même nom.

LE COMTE. Signons toujours. Don Bazile voudra bien nous servir de second témoin. [Ils signent.] 20

BAZILE. Mais, Votre Excellence... je ne comprends pas...

LE COMTE. Mon maître Bazile, un rien vous embarrasse, et tout vous étonne.

BAZILE. Monseigneur... mais si le docteur..

LE COMTE, lui jetant une bourse. Vous faites l'enfant! Signez donc vite.

BAZILE, étonné. Ah! ah!...

FIGARO. Où est donc la difficulté de signer?

BAZILE, pesant la bourse. Il n'y en a plus. Mais c'est 30 que moi, quand j'ai donné ma parole une fois, il faut des motifs d'un grand poids...* [Il signe.]

SCÈNE VIII ET DERNIÈRE

Bartholo, un alcade, des alguazils,* des valets avec des flambeaux
et les acteurs précédents*

BARTHOLO *voit le comte baiser la main de Rosine, et Figaro
qui embrasse grotesquement don Bazile ; il crie en prenant le
notaire à la gorge.* Rosine avec ces fripons ! Arrêtez tout
le monde. J'en tiens un au collet.

LE NOTAIRE. C'est votre notaire.

BAZILE. C'est votre notaire. Vous moquez-vous ?

BARTHOLO. Ah ! don Bazile, et comment êtes-vous ici ?

BAZILE. Mais plutôt vous, comment n'y êtes-vous pas ?

L'ALCADE, *montrant Figaro.* Un moment ! je connais
celui-ci. Que viens-tu faire en cette maison, à des heures 10
indues ?

FIGARO. Heure indue ? Monsieur voit bien qu'il est
aussi près du matin que du soir. D'ailleurs, je suis de la
compagnie de Son Excellence monseigneur le comte Almaviva.

BARTHOLO. Almaviva !

L'ALCADE. Ce ne sont donc pas des voleurs ?

BARTHOLO. Laissons cela.—Partout ailleurs, monsieur
le comte, je suis le serviteur de votre excellence ; mais
vous sentez que la supériorité du rang est ici sans force. 20
Ayez, s'il vous plaît, la bonté de vous retirer.

LE COMTE. Oui, le rang doit être ici sans force ; mais ce
qui en a beaucoup, est la préférence que mademoiselle vient
de m'accorder sur vous, en se donnant à moi librement.

BARTHOLO. Que dit-il, Rosine ?

ROSINE. Il dit vrai. D'où naît votre étonnement ? Ne
devais-je pas, cette nuit même, être vengée d'un trompeur ?
Je le suis.

BAZILE. Quand je vous disais que * c'était le comte lui-
même, docteur ?   30

BARTHOLO. Que m'importe à moi ?   Plaisant mariage !
Où sont les témoins ?

LE NOTAIRE. Il n'y manque rien.   Je suis assisté de ces
deux messieurs.

BARTHOLO. Comment, Bazile ! vous avez signé ?

BAZILE. Que voulez-vous ? * ce diable d'homme a
toujours ses poches pleines d'arguments irrésistibles.

BARTHOLO. Je me moque de ses arguments.   J'userai
de mon autorité.

LE COMTE. Vous l'avez perdue en en abusant.*   10

BARTHOLO. La demoiselle est mineure.

FIGARO. Elle vient de s'émanciper.*

BARTHOLO. Qui te parle à toi, maître fripon ?

LE COMTE. Mademoiselle est noble et belle ; je suis
homme de qualité, jeune et riche ; elle est ma femme : à ce
titre, qui nous honore également, prétend-on me la
disputer ?

BARTHOLO. Jamais on ne l'ôtera de mes mains.

LE COMTE. Elle n'est plus en votre pouvoir.   Je la mets
sous l'autorité des lois ; et monsieur, que vous avez   20
amené vous-même, la protégera contre la violence que
vous voulez lui faire.   Les vrais magistrats sont les soutiens de ceux qu'on opprime.*

L'ALCADE. Certainement.   Et cette inutile résistance au
plus honorable mariage indique assez sa frayeur sur la
mauvaise administration des biens de sa pupille, dont il
faudra qu'il rende compte.

LE COMTE. Ah ! qu'il consente à tout, et je ne lui
demande rien.

FIGARO. ... que la quittance de mes cent écus : * ne per-   30
dons pas la tête.

BARTHOLO, irrité. Ils étaient tous contre moi ; je me
suis fourré la tête dans un guêpier.

BAZILE. Quel guêpier ? Ne pouvant avoir la femme,

calculez, docteur, que l'argent vous reste ; eh oui, vous reste !

BARTHOLO. Ah ! laissez-moi donc en repos, Bazile ! Vous ne songez qu'à l'argent. Je me soucie bien de l'argent, moi ! A la bonne heure, je la garde ; mais croyez-vous que ce soit le motif qui me détermine ? [*Il signe.*]

FIGARO, *riant*. Ah, ah, ah, monseigneur ! ils sont de la même famille.

LE NOTAIRE. Mais, messieurs, je n'y comprends plus 10 rien. Est-ce qu'elles ne sont pas deux demoiselles qui portent le même nom ?

FIGARO. Non, monsieur, elles ne sont qu'une.

BARTHOLO, *se désolant*. Et moi qui leur ai enlevé l'échelle, pour que le mariage fût plus sûr ! Ah ! je me suis perdu faute de soins.

FIGARO. Faute de sens. Mais soyons vrais, docteur : quand la jeunesse et l'amour sont d'accord pour tromper un vieillard, tout ce qu'il fait pour l'empêcher peut bien s'appeler à bon droit *la Précaution inutile*.   20

NOTES

(The figures refer to pages. Words shown in " Harrap's Shorter French and English Dictionary" are not generally given, except where thought desirable.)

1. **grand d'Espagne** : ' a Spanish grandee.'
1. **forme** : ' crown.'
1. **majo:** ' dandy ' (a Spanish word).
1. **rescille:** ' hair net.' The spelling is imitated from the Spanish, the normal French spelling being *résille*.
2. **soutanelle:** diminutive form of *soutane*, ' a cassock.' Here a short cassock which goes down to the knees.
2. **Galiciens:** inhabitants of Galicia, a Spanish province.
2. **chamois:** ' buff-coloured.'
2. **alguazil:** ' policeman ' (a Spanish word).

ACT I

SCENE I

3. **jalousie:** ' lattice.'
3. **aimable:** ' gallant.' The adjective is used substantively.
3. **il me prendrait pour un Espagnol du temps d'Isabelle:** the 1773 manuscript version of the play read—" il me regarderait comme un Espagnol du temps de Charles-Quint." Beaumarchais wishes to refer not to a definite date but simply to the " good old days " when chivalry and gallantry were in vogue.

SCENE II

3. **en bandoulière:** ' slung over his shoulder,' like a shoulder belt. (From Spanish *bandolera*.)

74

3. **Bannissons le chagrin, etc.** : These couplets show that *Le Barbier de Séville* was originally conceived as a libretto for a comic opera. Beaumarchais wrote the music for them himself.

5. **messieurs de la cabale:** this is an allusion to those groups of critics and journalists who conspired to ruin Beaumarchais's plays, causing the failure of *Eugénie* in 1767, of *Les deux Amis* in 1770, and the prohibition of *Le Barbier de Séville* in 1773.

5. **dans les bureaux:** ' in the (government) offices.'

5. **Lindor:** this was a name for lovers commonly used in the eighteenth-century pastorals.

5. **les haras d'Andalousie:** ' the studs of Andalusia.' Andalusia is a Spanish province famous for its horse-breeding.

6. **le district des pansements:** Figaro says here that he had charge of the distribution of medicaments—a monopoly of them.

6. **qui n'ont pas laissé de guérir:** this is the same as saying *qui n'ont pas manqué de guérir*—i.e., ' which did not fail to cure.'

6. **c'est bien lui-même:** an elliptical form of speech for *c'est bien le poste lui-même qui m'a quitté.*

6. **des bouquets à Chloris:** a few stanzas or lines of poetry addressed to a lady on some such occasion as her birthday, etc.; *cf.* Eng. " a garden of verses." Chloris, like Lindor, is a name borrowed from the pastoral.

6. **des énigmes aux journaux:** a newspaper, the *Mercure Galant*, used to print puzzles and give the solutions the following week.

6. **des madrigaux de ma façon:** ' love poems of my making.'

6. **imprimé tout vif:** a humorous expression analogous to *brûlé vif.*

7. **le café:** Beaumarchais refers to the café Procope, opposite the Théâtre-Français. Those who intrigued against the success of a play that was being shown used to meet there before the performance.

7. **comme je leur en garde:** compare the construction *en vouloir à quelqu'un.* The understood antecedent of *en* is *du mal.*

7. **Sais-tu qu'on n'a que vingt-quatre heures, au Palais, pour maudire ses juges?**: this refers to the time-limit that was placed on the delay between a sentence and its execution at the Law Courts (Palais de Justice).

7. **user**: when followed by a direct object, its meaning is ' to wear out,' ' to exhaust.' Do not confuse with *user de*, ' to make use of.'

8. **les maringouins**: a type of mosquito. There is also an allusion to the censor Marin, one of Beaumarchais's adversaries in the Goëzman case.

8. **feuillistes**: a neologism for *journalistes*.

8. **blâmé**: this was omitted at the first performance, since it was taken to be a too direct allusion to the sentence passed on Beaumarchais by the *Parlement* in February, 1774 (see Introduction, p. xxix).

8. **faisant la barbe à tout le monde**: a pun on the literal and figurative use of the phrase.

SCENE III

9. **Quelque drame encore**: See Introduction, p. xxxviii. Beaumarchais added a note to this in the original edition : " Bartholo n'aimait pas les drames. Peut-être avait-il fait quelque tragédie dans sa jeunesse."

9. **l'attraction**: the laws of attraction or gravitation discovered by Newton and popularized by Voltaire in France.

9. **l'inoculation**: vaccination had been brought from Turkey to England by Lady Mary Wortley Montagu, and had caused great controversy.

9. **le quinquina**: cinchona, or " Jesuit's bark " as it was sometimes called, was brought from South America by the Jesuits in the seventeenth century.

9. **l'Encyclopédie**: see Introduction, p. xix.

9. **ma chanson est tombée en vous écoutant**: a loose, ambiguous construction. It should be, in correct French : *j'ai laissé tomber ma chanson en vous écoutant*.

9. **rentre**: *i.e.*, ' goes off.'

10. **mon excuse est dans mon malheur, etc.**: compare what Agathe says in Regnard's *Les Folies amoureuses* : " Vous serez surpris du parti que je prends, mais l'esclavage où je me trouve devenant plus dur chaque jour, j'ai cru qu'il m'était permis de tout entreprendre."

10. **signora:** Beaumarchais uses the Italian word instead of the Spanish *señora* possibly because it was more familiar to his audience.

10. **à la clef:** in modern French, *à clef.*

SCENE IV

10. **mascarade:** ' disguise.'

10. **à la journée:** ' continually.'

11. **au Prado:** el Prado is the name of a fashionable public promenade in Madrid, like the Champs-Élysées in Paris. It is perhaps better known as the name of the great art gallery there.

11. **donner le change (à):** a hunting term, which means ' to put off the scent.'

11. **j'étais résolu de tout oser:** in modern French this would be *j'étais résolu à tout oser.* (*Être résolu à, se résoudre à,* but *résoudre de.*)

11. **Comme ma mère:** Beaumarchais used this phrase in his *Lettre-Préface* to prove, facetiously, what a filial son Figaro was.

12. **si j'en ai:** elliptical phrase for understood *vous demandez si j'en ai?* to which the answer was, of course, expected to be in the affirmative. Translate by " I certainly have."

12. **pistoles d'or:** the *pistole* was worth a little less than ten shillings at that time.

12. **piston:** here, ' syringe, enema.'

13. **traiter:** here used in the sense of ' to give medical treatment.'

13. **ce médecin:** *i.e.,* Bartholo.

13. **le régiment de Royal-Infant:** the *Infante* was the heir to the throne in Spain.

13. **entre deux vins:** colloquial expression for ' drunk.' Equivalent to ' tight.'

13. **Et le mener un peu lestement:** ' and lead him a dance.' A loose construction, since the subjunctive should be used (like *vous eussiez*) after *il ne serait même pas mal que,* which is the introductory clause.

13. **que n'y vas-tu?:** *que* here is used as a substitute for *pourquoi.*

13. **C'est que vous ne pourrez peut-être pas:** ' but perhaps you won't be able to.'

SCENE V

14. Quelle sottise à moi: ' how silly of me.'

SCENE VI

14. friponneau: diminutive form of *fripon*, ' rogue.'
14. dont il serait facile de venir à bout: *dont* refers back to *pauvre hère* and is governed by the expression *venir à bout*, ' to get the better of.' In Act II, Scene VIII, it is used in a different sense and means to succeed.
15. Est-ce qu'un homme comme vous ignore quelque chose: compare what Mascarille says in Molière's *Les Précieuses ridicules* : '' Les gens de qualité savent tout sans avoir jamais rien appris.''
15. bachelier: one who has matriculated at a university, a student. In the 1773 version, Beaumarchais had written *écolier* and this description of '' Lindor '' is retained in Act II, Scene XIV.
16. pour celui-ci: *i.e.*, this couplet.
16. elle est prise: *i.e.*, captured by love.
16. Crois-tu qu'elle se donne à moi, Figaro?: *donne* is, of course, present subjunctive.
16. crainte de: shortened form of *de crainte de*.
17. chez moi: elliptical form of phrase which might possibly have been *vous trouverez chez moi*.
17. le nerf de l'intrigue: compare the English phrase ' the sinews of war.'
17. dans peu: ' in a short time.'
17. frappé: ' stupid,' ' crazy.'
17. trois palettes en l'air, etc. : all this phrase is a rapid description of Figaro's barber's shop and insignia. The *palette* was a little receptacle for catching drops of blood, since at one time barbers were also surgeons.
17. l'œil dans la main: another element of Figaro's sign, and meaning, like the Latin phrase that follows it, 'cunning joined to dexterity.'

ACT II

SCENE I

18. Marceline: Rosine's maid-servant.
18. mon argus: Argus was a personage in Greek mythology who had a hundred eyes all over his body. Fifty

stayed open when the other fifty were closed in sleep. Juno gave him the task of watching over the nymph Io, but Mercury sent him to sleep completely with the sound of his flute and then cut off his head. Juno then transferred his eyes to a peacock's tail. By extension, the noun *argus* means anyone who watches with great vigilance, and who misses nothing.

18. à point nommé: ' at the appointed time ' (*i.e.*, when anything happens).

SCENE II

18. madame: notice that Figaro uses *madame* to Rosine as a sign of respect, just as the Spanish *señora*, or the Italian *signora*, are used elsewhere in the play.

19. s'il n'eût pas quitté: highly literary style for *s'il n'avait pas quitté*. It should normally be followed by *il aurait pu*, but *il pouvait* is more emphatic.

20. si l'on rentrait: although the impersonal *on* is used, it is obvious that Rosine refers to Bartholo.

20. je viens de vous débarrasser de tous vos surveillants jusqu'à demain: Scenes IV to VII show how Figaro has accomplished this.

20. l'estimer: Rosine's reticence forbids her to use the verb *aimer*, as being too strong and open an avowal of her feelings.

21. Cela parle de soi: ' that goes without saying ' (=*cela va de soi*).

21. Tudieu: originally *Tue Dieu*, a form of swearing used in the seventeenth century.

21. Oui, quelque feu follet, etc. : Figaro means : *Quelque feu follet serait rebuté, mais non pas lui.*

21. D'en parler seulement: alternative for more usual *rien qu'en en parlant.*

21. enfiévré: Beaumarchais has the following note on this word : " *Le mot enfiévré, qui n'est plus français, a excité la plus vive indignation parmi les puritains littéraires; je ne conseille à aucun galant homme de s'en servir; mais M. Figaro !* "

21. moi qui n'y ai que voir: ' I, who have nothing to do with the matter.'

21. soyez tranquille: not ' be quiet,' but ' be easy in your mind about it.'

SCENE IV

22. **il n'y a pas jusqu'à ma mule:** ' even my mule.'
22. **comme à la place d'armes:** the *place d'armes* is used as a symbol of an open place because it had to be reached without difficulty by large numbers of troops.
22. **Et qui peut y pénétrer que vous, monsieur?:** shortened form of *Et qui peut, y pénétrer autre que vous, monsieur?* You could also say *si ce n'est vous.*
22. **sans précaution:** notice throughout the play how the key-word of the subtitle keeps reappearing.
23. **honnêtes:** ' courteous ' (said ironically).
23. **pour vous la souffler:** ' to steal her away from you.'

SCENE V

23. **les juifs:** an insult in the mouth of a Spaniard, which, of course, is what Bartholo is supposed to be.

SCENE VI

24. **endormi:** notice the contrast between the description and the name of the character.
24. **me douloir:** to feel pains (=*me sentir souffrant*). Now obsolete.
24. **ce petit garçon:** in the seventeenth and eighteenth centuries lackeys were often very young. Compare Molière's words in *Les Précieuses ridicules* : " Allons, petit garçon."
24. **sans mon ordonnance:** remember that Bartholo is a doctor.

SCENE VII

25. **il n'y aurait qu'à permettre:** ' you would only have to allow.'
25. **un train d'enfer:** ' ceaseless whirl.'
25. **mes cent écus:** cf. Act II, Scene IV.

SCENE VIII

26. **un particulier:** someone who is not a nobleman, ' a commoner.'
26. **on viendrait à bout:** cf. note to page 14 (Act I, Scene VI).

26. **à dire d'experts:** to calumniate in such a way as to give credence to the calumny, because experts are always believed.

26. **concedo:** 'I grant,' 'concede' (Latin). A term used by the medieval scholastic philosophers. Here an example of Bazile's pedantic phraseology.

26. **La calomnie, etc.:** this passage was inserted by Beaumarchais after the Goëzman suit in 1774. Beaumarchais had once taught music himself, and puts the technical terms of music very aptly into the mouth of Bazile. Both Paisiello and Rossini, who wrote comic operas on libretti from *Le Barbier de Séville*, made good use of the gradual working up to the crescendo of this passage.

26. **d'une adresse:** elliptical for some such phrase as *d'une adresse extraordinaire*. The meaning would be conveyed by the tone of the passage when spoken on the stage.

26. **pianissimo:** like *piano, rinforzando, crescendo* and *chorus*, this is a technical term used in musical notation.

26. **il va le diable:** 'it goes at an astounding rate.'

26. **ne sais comment:** for *je ne sais comment.*

27. **grâce au ciel:** 'heaven be thanked' (because Bazile is a devotee of calumny, and is describing it with enthusiasm, not attacking it, in this tirade).

27. **avant qu'elle apprenne seulement que ce comte existe:** 'before she *even* learns that this count exists.'

27. **à qui tient-il?:** 'on whom does it depend?'

27. **un mariage inégal:** because of the great discrepancy in years between Bartholo and Rosine.

27. **dissonances:** Bazile uses another musical metaphor: '. . . discords which must be introduced and resolved by the perfect concord of gold.'

27. **Serviteur:** elliptical form for *Je suis votre serviteur*, a formula then used in taking one's leave, in conversation or at the end of letters.

SCENE IX

28. **il est encore plus sot:** *i.e., il est encore plus sot que maraud.*

28. **il médirait qu'on ne le croirait pas:** a concessive sentence, of which the full form would be—*quand*

même il médirait, on ne le croirait pas. Notice that *la médisance* differs from *la calomnie.* In the case of the former, one is simply speaking ill of another person, with some foundation in fact ; in the latter, one is telling lies about another person.

SCENE X

28. **le petit escalier :** 'the back staircase, 'or ' the servants' staircase.'

SCENE XI

29. **et pour cause:** 'and with good reason.'
29. **une seule:** *i.e., une seule chose.*
29. **en chiffonnant:** ' while arranging my fal-lals.'
30. **oh, imbécile:** Rosine here refers to her own thought-less action.
30. **à la petite Figaro:** *i.e.,* to Figaro's daughter. She is mentioned again in Act III, Scene V, but we are told nothing of Figaro's wife, and the introduction of a daughter seems rather gratuitous, since it has no connection with anything else in the play. It has been condemned on these grounds as a fault (one of the few) in the construction of the play.
30. **On ne saurait penser à tout:** Musset used this line as the title for one of his *proverbes* (1849).
30. **un bon double tour:** elliptical for *un bon double tour de clef.*

SCENE XII

30. **Réveillons-la, etc. :** presumably the refrain from a soldiers' drinking song.
31. **Balordo:** pun on the Italian word for ' heavy ' (*cf.* French *balourd*).
31. **Je m'en moque comme de ça:** the Count snaps his fingers to accompany this phrase.
31. **avoir du vin:** to be drunk (=*être pris de vin*).

SCENE XIII

31. **Le chef:** ' head ' (obsolete).
31. **vérons:** also spelt *vairons* (from Latin *varium*), ' motley.'
32. **Algonquin:** name of a North American Indian tribe.
32. **grenu:** ' pock-marked.'
32. **pote:** ' fat and swollen ' (*cf. potelé*).
32. **un maréchal:** ' a farrier.' Just as the functions of a surgeon were originally performed by barbers, so the veterinary surgeons were originally farriers as well.
32. **Hippocrate:** Hippocrates, a famous Greek doctor (fifth century B.C.).
32. **c'est il poli?:** colloquial form of *est-ce que c'est poli ?*
32. **manipuleur:** ' manipulator ' (=*manipulateur*) *i.e.*, someone who works with his hands, not his brains.
33. **bévues:** ' blunders.' This line is borrowed bodily from Brécourt's *L'Ombre de Molière* (1674), and the spirit of the whole passage is very much in the vein of Molière's criticisms of the medical profession, as in *L'Amour Médecin* and *Le Médecin malgré lui*.
33. **habitué de:** in modern French, *habitué à*.
33. **l'Amour:** for *mon amour* (ironical).

SCENE XIV

34. **maréchal des logis:** ' quartermaster.'
34. **J'ai pensé me trahir:** ' I nearly gave myself away.'
34. **Qu'à cela ne tienne:** ' certainly,' ' by all means.'
35. **leur jeter de la poudre aux yeux:** the Count here makes a pun on one of the literal meanings of *poudre* (' gunpowder ') and on the phrase *jeter de la poudre aux yeux*, ' to mislead or deceive someone.'
35. **Ni ne veux en voir:** subject (*je*) is omitted before the second verb in a negative clause introduced by *ni*.
35. **Voilà le ravin, cela s'entend:** compare Molière, *Amphitryon*, Act II, Scene I.
36. **Dulciter:** ' softly ' (Latin).
36. **mon cœur:** like *l'Amour* (see above, note on *l'Amour* page 33), this is used ironically in addressing Bartholo.
36. **Allez toujours:** ' keep on going,' ' go on.'
36. **Si j'avais ce crédit-là sur la mort:** the rest of the sentence is understood : *je ne prierais pas la mort de vous oublier*.

SCENE XV

36. **m'amour:** *mon amour.* The feminine form *ma amour*, shortened to *m'amour*, is Old French usage. Nowadays *amour* is usually feminine only in the plural, save in poetic usage. Compare *m'amie.*
37. **Je ne vous entends pas:** ' I do not understand you.'
37. **Pourquoi vous donnez-vous des airs de:** ' why do you take it upon yourself to,' etc.
37. **toucher à:** *toucher* followed by a direct object is used in the literal sense of the English ' to touch.' *Toucher à* has the idea of ' to interfere with.'
38. **me faire prendre le change:** compare phrase *donner le change* (*cf.* Act I, Scene IV, note to page 11).
38. **retraite:** ' asylum,' ' refuge.'
38. **donnons-lui beau jeu:** ' let us make it easy for him.'
39. **l'usage des odeurs:** the use of strong perfumes to hide body smells is supposed to have been a cause of fainting in the eighteenth century.
39. **sur ce billet:** ' about this note ' (=*au sujet de ce billet*).
39. **Il s'agit bien de billet:** ' as if it had anything to do with the note.'

SCENE XVI

40. **Mais un homme injuste:** compare what Rosine says in Act I, Scene III.

ACT III

Notice that this act was, at the first performance, divided into two, in order to provide the usual five-act play.

SCENE I

41. **Là qu'on me dise :** ' I wish someone would tell me.'

SCENE II

41. **en bachelier:** ' as a young man,' ' a student.'
41. **céans:** ' here inside ' (=*dedans*). Now obsolete ; the Count uses it to show his academic learning in the rôle of *bachelier.*

41. **au fait:** elliptical form of *venons au fait*, ' let's get down to brass tacks.'

42. **c'est ... la chambre que j'entends:** ' it is the room I mean.' *J'entends* here is used as a synonym for *je veux dire*.

42. **avez-vous dit:** notice the inversion of verb and subject in a parenthetical clause.

42. **seigneur Alonzo:** *seigneur* is used here as a substitute for the Spanish *señor*, not in its usual French sense.

43. **Je me suis enferré de dépit:** ' I have run myself through with annoyance,' *i.e.*, ' I have got myself into this fix as a result of my irritation.'

43. **Si je puis en prévenir Rosine:** see Act IV, Scene III, which shows what happens as a result of his not being able to do this.

43. **sa main:** ' her handwriting.'

43. **Quelle obligation:** ' what an obligation I am under to you,' ' how indebted I am to you.'

43. **Quand tout sera fini, si vous croyez m'en devoir, vous serez le maître:** the meaning here is : ' when all is over, if you think you are indebted to me, you can *then* consider yourself to be so.'

43. **arrêté:** ' detained.'

44. **en sa place:** more normal French would be *à sa place*.

44. **Ne lui donnerez vous pas bien une leçon?:** ' Surely you could give her a lesson? '

44. **Je le donne au plus fin à deviner:** ' I defy even the most cunning to guess it.'

SCENE IV

45. **avec une colère simulée:** because this is how the Count has instructed her to behave, *cf.* Act II, Scene XVI.

45. **pour être un de nos témoins:** *i.e.*, at our wedding.

45. **vous pouvez vous en détacher:** ' you can give up that idea.'

45. **lui donner son compte:** the literal meaning is ' settle his account,' but the one used here is the figurative one ' get rid of him.'

45. **Le pied vous a tourné:** ' have you sprained your ankle? '

46. **je veux vous imiter:** *cf.* Act II, Scene XV.

47. **Rosine chante:** Beaumarchais added this note : " Cette ariette, dans le goût espagnol, fut chantée le premier jour à Paris, malgré les huées, les rumeurs et le train usités en ces jours de crise et de combat. La timidité de l'actrice l'a depuis empêchée d'oser la redire, et les jeunes rigoristes du théâtre l'ont fort louée de cette réticence. Mais si la dignité de la Comédie française y a gagné quelque chose, il faut convenir que le Barbier de Séville y a beaucoup perdu. C'est pourquoi, sur les théâtres où quelque peu de musique ne tirera pas tant à conséquence, nous invitons tous directeurs à la restituer, tous acteurs à la chanter, tous spectateurs à l'écouter, et tous critiques à nous la pardonner, en faveur du genre de la pièce et du plaisir que leur fera le morceau."

47. **Tout reprend l'être:** ' everything comes to life.'

49. **petite reprise:** the ' burden ' or refrain of the song.

50. **Je vas:** colloquial form of *je vais*.

50. **filons le temps:** ' let us spin things out.' It was at this point that the fourth act began in the first version of the play.

50. **aria:** an Italian word, of which *ariette* is the diminutive form in French. Notice that Beaumarchais uses it as if it were invariable.

50. **la ritournelle:** ' the refrain.'

50. **dansant des genoux:** *i.e.*, ' dancing with knees bent.'

50. **Veux-tu ma Rosinette:** for a similar introduction of a song, see Molière's *Le Bourgeois Gentilhomme*, Act I, Scene II.

50. **tout au mieux:** ' fine,' ' excellent.'

SCENE V

51. **Tircis:** the shepherd in Virgil's 7th Eclogue.

51. **l'œil inquiet et vigilant du tuteur:** because Figaro's arrival has put him on his guard again.

51. **mettre sur le grabat:** here : ' to put on a sick bed.'

51. **il n'est pas tous les jours fête:** ' there isn't a holiday every day.'

51. **lorsqu'ils en ont besoin:** here *ils = les gens de la maison*.

51. **éternue à se faire sauter le crâne:** ' sneezes (violently enough) to blow his head off.'

52. **Que je le trouve sur le mémoire:** ' I'd better not find it on the bill ! '
52. **j'aimerais mieux vous les devoir toute ma vie que de les nier un seul instant:** *cf.* Molière's *Don Juan*, Act IV, Scene III.
53. **Je la soutiendrai:** ' I will live up to it,' says Figaro, and Bartholo uses in reply a synonym which implies ' you will *put up with it*, you mean.'
53. **que n'y restiez-vous:** *que* used instead of *pourquoi*.
54. **Monsieur passe-t-il chez lui:** ' will you go into your own room, sir? '
54. **honnête:** ' polite ' (used ironically).
54. **de votre façon:** ' of your own making,' ' by your treatment.'

SCENE VI

54. **Ah ! que nous l'avons manqué belle ! :** ' what a chance we've missed ! '

SCENE VII

55. **La peste ! :** ' curse it ! ' Nowadays *peste* is used as an expletive without the definite article.

SCENE VIII

55. **le plus fort est fait:** ' the worst part is over.'
55. **que je n'eusse été en tiers:** ' without my being a third party.'
55. **aura tout laissé tomber:** the future in the past expresses probability.

SCENE X

56. **Voyez le grand malheur pour tant de train:** ' much ado about nothing ' would be a suitable translation here.
56. **j'ai accroché une clef:** ' I caught myself on a key.' Figaro intends at the same time to convey to the Count that he has purloined the key to the lattice window.

SCENE XI

56. **soyez le bien rétabli:** *cf. soyez le bienvenu.*
57. **Deux heures pour une méchante barbe:** ' two hours just to shave *one* beard.'
57. **Chienne de pratique:** ' a wretched business.'
57. **apparemment:** here means ' evidently,' ' obviously.'
58. **Je ne vous entends pas:** ' I don't understand you.'
58. **D'honneur:** short for *parole d'honneur.*
58. **cela se gagne:** *i.e., cela est contagieux.*
58. **Que j'aille me coucher:** Indirect question, *voulez-vous* being understood.

SCENE XII

59. **Le grand air l'aura saisi:** ' He must have caught a chill in the open air.'
59. **Ce que c'est que de nous:** ' what weak things we are.'
59. **Ah ça, vous déciderez-vous, cette fois?:** ' now then, are you ready this time ? ' (*i.e.,* to be shaved).

SCENE XIII

61. **il me prend des envies:** ' I have a good mind to.'

SCENE XIV

61. **Je suis fou,** etc. : compare Harpagon's outburst in Molière's *L'Avare.*
61. **Il y a de quoi perdre l'esprit:** ' it's enough to drive one out of one's mind.'
61. **celui:** *i.e., ce morceau de musique.*

ACT IV

SCENE I

62. **Quelle apparence:** *i.e.,* ' what likelihood is there ' (that it will be the Count).
62. **Vous aviez l'air d'accord:** you seemed to be in agreement.
62. **ce qui est bon à prendre:** the proverb ends *est bon à rendre*, but Bazile changes it to suit his own meaning.

63. **Votre valet:** *i.e., Je suis votre valet.* A polite way of disagreeing with a proposal.
63. **Il y va de la vie?:** ' Is it a question of life and death? '
63. **Aussi ferai-je:** ' that is exactly what I will do.' Notice the inversion after *aussi* when it means ' therefore.'
63. **de les rendre:** here *les* = *les hommes.*
63. **retenu:** ' detained,' ' engaged.'
63. **vous êtes sûr de votre fait:** ' you are sure to succeed.'

SCENE III

65. **le notaire viendra cette nuit même:** it was formerly possible in France for marriages to take place before a notary.
66. **Arrêté comme voleur:** *i.e., quand il sera arrêté comme voleur.*

SCENE V

67. **Nous sommes tout percés:** ' we are soaked to the skin.'

SCENE VI

68. **Tu m'adores:** notice the switch from *vous* to *tu* ; it is contemptuous, not affectionate, here.
69. **le retour est fermé:** ' our way of escape is closed.'

SCENE VII

70. **C'est que j'ai deux contrats de mariage:** ' the fact is I have two marriage contracts.'
70. **il faut des motifs d'un grand poids:** notice the double meaning.

SCENE VIII

71. **alcade:** a kind of magistrate (Spanish).
71. **alguazil:** ' policeman ' (Spanish).
71. **Quand je vous disais que:** ' but didn't I tell you that,' etc.
72. **Que voulez-vous ?:** ' what do you expect? '

72. **Vous l'avez perdue en en abusant:** a revolutionary maxim with all the more force since it comes from one who is himself a nobleman.

72. **Elle vient de s'émanciper:** because she has just been married and is therefore legally considered as having attained her majority.

72. **Les vrais magistrats sont les soutiens de ceux qu'on opprime:** a reflection on Beaumarchais's experience in the courts.

72. **que la quittance de mes cent écus:** 'apart from the receipt for my hundred crowns.'